INTERMEDIATE JAPANESE SHORT STORIES

10 Captivating Short Stories to Learn Japanese & Grow Your Vocabulary the Fun Way!

Intermediate Japanese Stories

www.LingoMastery.com

TABLE OF CONTENTS

INTRODUCTION

Hello, reader!

If you are considering reading this book, then you must have made impressive progress in learning Japanese. Congratulations! Yet, please just don't bask in your success since that is one of the most common mistakes that language learners often make. Constant challenge is the key to perfection! We encourage you to continue to learn and challenge yourself no matter how good you are.

This book consists of 10 Short Stories in Japanese, which were specially written for Japanese intermediate learners. We have made sure to provide you with a comprehensive experience in the Japanese language as well as to expose you to rich and practical vocabulary, useful grammar structures, and commonly used expressions, which will take your Japanese language knowledge and skills to the next level after reading these 10 stories.

Reading is an important part of learning a language, which has, in fact, been proven to be one of the most efficient ways to learn a foreign language. Reading helps you become familiar with proper use of the language, such as grammar, fixed phrases, and word choice. In addition, research has shown that it exposes you to more sentences per minute than the average movie or TV show.

When creating this book, we tried making a balance between entertainment and challenge. Having come this far with your Japanese language learning, we are sure that you are already familiar with basic vocabulary as well as grammatical structures, which ensure you will enjoy reading. Yet, the book gives you much room for further growth exposing you to new things and thus motivating you to move beyond the elementary level.

The 10 stories are fun, educational, and filled with more advanced, helpful vocabulary combined with a variety of intermediate-level grammar structures. In addition, a learning support section is provided at the end of each story, such as a word list, summary, and multiple-choice questions about the story, which will enhance your understanding of the story, help you follow all its details, and improve at a rapid pace.

Since you have chosen this book for your study, we assume you, as a reader, already know a fair amount of Japanese vocabulary. We sincerely hope that you will find this book entertaining for both academic and casual reading.

About the Stories

Motivation is essential when it comes to learning a foreign language. In order to keep your motivation, you need good reading materials that are appropriate to your level as well as engaging and informative. These reading materials should also provide you with an opportunity to learn and get used to grammar and vocabulary, which is important for intermediate and even advanced learners.

In each chapter, you will find a story, followed by the summary of the story that is rendered in both Japanese and English. Then, you will find the vocabulary list and the learning-support section. The summary section provides you with the gist of a story, which will allow you to make sure you do not miss out any important points in case you get lost while reading. Then, you can go to the vocabulary section, which provides you with a list of words/phrases that we thought might be difficult or worth memorizing--those words/ phrases are bolded in each story. Finally, you can try your luck with the learning-support section. In this section, you will find five questions about the story you just read. Please try to answer each question without any help, and then you can check the answers, which is provided at the end of the learning-support section.

Please note that a full translation of each story is not provided in this book. This way, you cannot choose the "easy option" even if you feel inclined to read an English translation to avoid struggles in order to fully understand the story in Japanese. Struggles are often needed to make significant progress in the learning process.

Suggested steps to working with this book

1. First, read through the story. Chances are you already know most words in it, so don't be discouraged if you see many words in,bold.
2. Once you have read through it, read it again referring to the vocabulary list. Note that our vocabulary lists are much easier to refer to than a conventional dictionary because:
   a. the words are listed in order of their appearance in the text;
   b. the translation as well as the pronunciation are provided;
   c. Set phrases are given as they are usually and naturally used so that you can use them for yourself.
3. Now that you think you have understood the major plot of the story, check yourself by referring to the summary of the story that is provided in both Japanese and English.
4. Go to the learning-support section and try to answer the questions provided if you have understood the details.

5. Check your answers by referring to the answer section.
6. Finally, it's time to enjoy the story! Read the story once more and have fun reading the story without any struggle. You deserve it!

Tips to Improve Your Reading

Reading is a complicated skill. Think of how you learned to read in your first language. It must have taken years for you to master the skill from how to read the most basic words to the most complicated texts. You have built a complex set of micro skills through studying the language that now allow you to read various texts at a different pace and with different levels of understanding.

However, research suggests that this doesn't happen when you read in a foreign langauge. You cannot rely on all these micro skills that allow you to understand texts in your first langage and start to focus on understanding the meaning of every single word. Therefore, this causes intermediate learners to easily get frustrated with not being able to understand everyting in the text since their vocabulary is limited. Advanced learners, on the other hand, have overcome this problem, yet they also need to continue reading in order to keep themselves in shape.

Here are a few useful tips:

1. The first tip is to try to stop instantly frustrated or discouraged with unknown words. Try to read a full page or even just one paragraph before stopping to look up words in a dictionary. Even if you don't know the exact meaning of a word, you could probably guess what it means from the context. Once you have gotten used to it, you could improve your reading speed as well as your fluency.
2. It is important to commit yourself to reading at least a page per day. Some days, you may feel like you don't want to

4

read anything. But, once you have gotten in the habit of reading, it will be part of your life. Remember, the more you read, the faster and better you will improve your skills.

3. Once you have read through all the stories, keep coming back to them! You will be amazed at how much better you understand each story on your own the second time around. But at the same time, you will realize that there are more things, such as grammar, fixed expressions, or set phrases, that you can learn from each story, which you might have missed on your first time reading.

4. If you don't know a word that is not in bold (i.e., not included in the vocabulary list), then:

- You may have already encountered it but in a different form. Challenge yourself!
- The word may actually be from English if it is in *katakana*. Read it out loud! Does that sound similar to any English word?
- If you come across a word in kanji characters and you don't know it yet know the meaning of each character, try to guess the meaning of the word by combining the meaning of each kanji character. Kanji characters have meanings by themselves, so you might be able to take a guess without looking it up in a dictionary.

5. List any words, expressions, or kanji characters you don't understand and look them up in a dictionary. Use this as a learning opportunity and expand your vocabulary! Once you have learned those words and expressions, you will be surprised how much easier it will be when you go back to the stories.

6. Feel free to use any outside materials such as internet resources to complete your learning experience! In some stories, we have provided information other than about language such as culture and history. So, it is acutally a good idea to venture out of this book and look things up in

other books, textbooks, and on the internet, which will enrich and enhance your learning experience!

Last but certainly not least, always keep in mind that the goal of reading the stories is not to understand every single word in them. The purpose is to be able to enjoy them while you expose yourself to new words, expressions, and grammatical structures and to tell stories in Japanese. So, if you don't understand a word, try to guess it from the context just as we suggested and keep on reading.

FREE BOOK!

Free Book Reveals The 6 Step Blueprint That Took Students
From Language Learners To Fluent In 3 Months

One last thing before we start. If you haven't already, head over to **LingoMastery.com/hacks** and grab a copy of our free Lingo Hacks book that will teach you the important secrets that you need to know to become fluent in a language as fast as possible. Again, you can find the free book over at **LingoMastery.com/hacks**.

Now, without further ado, enjoy these 10 Japanese Stories for Intermediate learners.

Good luck, reader!

CHAPTER 1

青森ねぶた祭 - THE AOMORI NEBUTA FESTIVAL

私は去年、東京都から青森県に引っ越してきました。青森県に来る前は、東京にある旅行会社で働いていました。この旅行会社を辞めて青森県に引っ越してきたのには、理由があります。それは、青森ねぶた祭に携わる仕事がしたかったからです。

ねぶた祭を知っていますか？青森県の夏祭りで、毎年、八月二日から八月七日までの六日間行われるお祭りです。ねぶた祭りは、青森県の色々な地域で行われます。ねぶたと呼ばれる大きな灯篭を山車に乗せて、町中を回ります。そして、跳人という人達が「ラッセラー、ラッセラー」と声を上げながら、踊り歩きます。とても賑やかで楽しいお祭りです。

ねぶた祭の中で一番有名なのが、青森ねぶた祭です。青森ねぶた祭は、東北三大祭のひとつで、と

ても有名なお祭りです。1980年には**重要無形民俗文化財**になりました。毎年300万人以上の**観光客**が、このお祭りを見るために青森市にやって来ます。これは、青森県の人口の二倍以上です。

私が青森ねぶた祭を初めて見たのは、7歳の時でした。小学校が夏休みになり、私はおじいちゃんとおばあちゃんの住んでいる青森県に遊びに来ていました。ある日、おじいちゃんが「来週、大きなお祭りがあるから見に行こうか?」と言いました。私はお祭りが大好きだったので、「見に行きたい!」と答えました。そして、青森ねぶた祭の八月七日の**最終日**、おばあちゃんに**浴衣**を着せてもらい、おじいちゃんとおばあちゃんと私の三人で、お祭りを見に行きました。

初めて見たねぶた祭りは、東京の家の近くでやるお祭りとは全く違いました。山車には大きなねぶたが乗り、その周りには踊っている人がたくさんいて、**太鼓**や**笛**の音がたくさん聞こえてきました。私は青森ねぶた祭が大好きになりました。

それから、毎年夏休みになると、私はおじいちゃんとおばあちゃんの家に行き、八月七日には、必ず青森ねぶた祭に行くようになりました。高校2年生の夏休みに青森に行った時には、いとこがおじいちゃんとおばあちゃんの家に遊びに来ました。そのいとこは青森県で働いていて、私よりも 15歳年上でした。年が離れていたので、あまり一緒に遊んだことはありませんでしたが、とても優しいお兄さんでした。

青森ねぶた祭が大好きで、毎年必ず見に行っている話を　すると、いとこは「今年は祭に**参加して**みたら？」と言いました。私が「お祭りに参加できるの？」と聞くと、「できるよ」と、**笑顔**で言いました。私はお祭りに参加したくなりました。でも、ねぶた祭の踊りを知らないので**不安**になり、「でも、踊りは難しいんでしょう？」と聞くと、いとこは「大丈夫。簡単だよ。今年はぼくも参加するから教えてあげるよ」と言いました。そして、私は踊りをたくさん**練習**して、初めて青森ねぶた祭に参加しました。お祭りを見ていた時もとても楽しかったけれ

ど、参加したらもっと楽しくて、ねぶた祭がもっと
好きになりました。

そして去年、高校を卒業してから働いていた旅行
会社を辞めて、私はとうとう青森県でねぶた祭に
携わる仕事に就くことができました。ねぶた祭の
博物館で働くことになったのです。

この博物館には、毎年100万人以上の人がやって来
ます。青森県内の小学生や中学生がねぶた祭につい
て勉強するためにやって来ることもあるし、青森県
外からも小学生、中学生、高校生が修学旅行や遠足
でやって来ることもあります。そして最近は、外国
からの観光客もたくさん来るようになりました。

この博物館では、ねぶた祭について学んだり、その
歴史について勉強したりすることができます。そし
て、ねぶた祭で着る衣装やねぶたが展示されている
ので、実物の大きなねぶたを見ることができます。
実物のねぶたは、高さが5メートルもあり、とても
大きく迫力があります。そして、毎年5月になると、
この博物館で実際にねぶたを作っているところを見
ることもできます。

私は、大好きなねぶた祭について説明したり、自分の体験を話したり、楽しい毎日を過ごしています。この博物館で働くことができて、とても嬉しいです。今年もまた、青森ねぶた祭が近づいてきました。今年もいとこと博物館の人たちと一緒に踊る予定です。みなさんもぜひ、一度青森に来てください！そして、私たちと一緒に青森ねぶた祭に参加してみませんか？

要約 / Summary

私は 7歳の時に、おじいちゃんとおばあちゃんと初めて青森ねぶた祭を見ました。とても賑やかで、私はねぶた祭が大好きになりました。それから毎年、夏休みはおじいちゃんとおばあちゃんの家に行き、八月六日には、青森ねぶた祭を見に行きました。高校二年生の夏休み、私は初めて青森ねぶた祭に参加しました。そしてこのお祭りがもっと好きになりました。高校を卒業してからは旅行会社で働きました。ですが去年この会社を辞め、青森に引っ越し、ねぶた祭の博物館で働き始めました。観光客や修学旅行中の学生に、ねぶた祭について説明しています。大好きなお祭りに携わる仕事をしながら、毎日を楽しく過ごしています。

I went to the Aomori Nebuta festival with my grandfather and grandmother for the first time when I was seven years old. The festival was very cheerful and I really liked it. Since then, I stayed at my grandfather and grandmother's place in Aomori prefecture every summer vacation and went to the festival on the 6th of August. During the summer vacation of my second year in high school, I participated in the festival for the first time. Then I loved it even more. After graduating from high school, I worked for a travel agency. But I quit the job last year, moved to Aomori prefecture, and started working for The Nebuta Museum. Every day, I explain the festival to tourists or students on a school trip and more. Engaging in my favorite festival, I enjoy my life every day.

単語リスト / Vocabulary List

- 青森県 - **aomoriken**: Aomori Prefecture
- 引っ越す - **hikkosu**: to move home
- 旅行会社 - **ryokoo gaisha**: travel agency(ies)
- 辞める - **yameru**: to quit
- 青森ねぶた祭 - **aomori nebuta matsuri**: the Aomori Nebuta Festival
- 携わる - **tazusawaru**: to engage in
- 夏祭り - **natsumatsuri**: summer festival(s)
- 地域 - **chiiki**: area(s), region(s)
- 灯篭 - **tooroo**: lantern(s)
- 山車 - **dashi**: float(s)
- 回る - **mawaru**: to go around
- 跳人 - **haneto**: dancer(s) for the Nebuta Festival
- 声を上げる - **koe o ageru**: to raise voice
- 賑やかな - **nigiyakana**: cheerful
- 東北三大祭 - **toohoku sandai matsuri**: the three great festivals of the Tohoku region
- 重要無形民俗文化財 – **juuyoo mukei minzoku bunkazai**: important intangible folk-cultural property(ties)
- 観光客 - **kankookyaku**: tourist(s)
- 人口 - **jinkoo**: population
- 最終日 - **saishuubi**: the final day
- 浴衣 - **yukata**: cotton kimono(s) for summer
- 太鼓 - **taiko**: drum(s)
- 笛 - **hue**: flute(s)

- 参加する - **sanka suru**: to participate in
- 笑顔 - **egao**: smile(s)
- 不安になる - **huan ni naru**: to become anxious
- 練習する - **renshuu suru**: to practice
- 博物館 - **hakubutsukan**: museum(s)
- 修学旅行 - **shuugaku ryokoo**: school trip(s)
- 遠足 - **ensoku**: field trip(s)
- 外国 - **gaikoku**: foreign country(ries)
- 学ぶ - **manabu**: to learn
- 衣装 - **ishoo**: costume(s)
- 展示する - **tenji suru**: to display
- 実物 - **jitsubutsu**: the real thing
- 迫力 - **hakuryoku**: impact(s)
- 説明する - **setsumei suru**: to explain
- 体験 - **taiken**: experience(s)
- 近づく - **chikazuku**: to come closer

もんだい
問題 / Questions

1. 青森ねぶた祭は何日間行われますか？

   A. 五日間

   B. 二日間

   C. 六日間

   D. 七日間

2. 私は、7歳の時に初めて青森ねぶた祭に参加した。

   A. はい

   B. いいえ

3. 高校を卒業して、私は・・・

   A. 青森の旅行会社で働いた

   B. 東京の博物館で働いた

   C. 東京の旅行会社で働いた

   D. 青森ねぶた祭で働いた

4. 青森ねぶた祭には、毎年何人の観光客が来ますか？

   A. 100万人以上

   B. 200人以上

   C. 300万人以上

17

D. 3000人以上
（いじょう）

5. 私（わたし）は今（いま）、青森県（あおもりけん）にあるねぶた祭（まつり）の博物館（はくぶつかん）で働（はたら）いています。

A. はい
B. いいえ

18

答え / Answers

1. C 六日間
2. B いいえ
3. C 東京の旅行会社で働いていた
4. A 100万人以上
5. A はい

CHAPTER 2

どうして日本語？ - WHY JAPANESE?

ぼくは、作家です。小説や物語も書きますが、主にエッセイを書いています。日本人ではありませんが、日本語でたくさんエッセイを書いています。初めは、英語でエッセイを書いていました。でも、20年前に日本に引っ越して来てから、日本語でエッセイを書くようになりました。友達もたくさんできて、とても楽しい毎日を過ごしています。でも、日本で暮らし始めた時、ひとつだけ困ったことがありました。それは、初めて会う人に必ず聞かれる質問です。

「どうして日本語を勉強しようと思ったのですか？」

ぼくが日本語を勉強し始めたのは、高校生の時でした。でも、特に理由はありませんでした。高校の友達は、色々な理由で日本語を勉強していました。日本人の彼女がいるから勉強している友達もいたし、日本のアニメが好きだから勉強している友達もいま

した。友達から日本の**文化**や**流行**を教えてもらいました。日本のことを知るうちに、ぼくは日本の**文学**に興味を持つようになりました。特に**明治時代**の**小説家**の**作品**が好きで、**夏目漱石**や**宮沢賢治**の作品をたくさん読みました。初めは**翻訳**を読んでいましたが、一生懸命日本語を勉強したので、日本語でも読めるようになりました。たくさん日本の小説を読んでいるうちに、ぼくは日本に行ってみたくなりました。高校で日本語を勉強して、大学でも日本文学を勉強したけれど、**実は**、日本に行ったことがありませんでした。

大学を卒業してから、ぼくは**出版社**で働き始めました。大きな出版社で、日本にも**支社**がありました。出版社で働き始めてから 5年経った時、日本の支社に行く人を**募集**していました。ぼくは日本に行くことができるチャンスだと思い、**応募**しました。そして、その次の年に日本の支社に行くことになりました。日本語を勉強し始めてから 10年以上経って、やっと日本に行くことができました。

日本の支社で働き始めてから、たくさんの日本人にインタビューをするようになりました。海外でレストランを経営している人、ヒッチハイクの旅をした人、そして世界中の海でダイビングをした人など、色々な人にインタビューをしました。インタビューをしていると、「日本語が上手ですね」とほめてくれる人もいました。そして必ず、「どうして日本語を勉強しようと思ったのですか？」と聞かれました。特別な理由がなかったので、ぼくはいつも困ってしまいました。「理由はありません」とは言いたくなかったので、いつもすごく悩みました。そして、たいてい「日本の小説が好きなんです」と答えました。そうすると、「どの作家が好きですか？」と質問されるので、自分の好きな作家や相手の好きな作家の話をしたりしました。

日本語を勉強し始めた理由を聞かれるのは、少し困ったけれど、好きな小説家の話ができるので、嫌いではありませんでした。でも、一年経っても、三年経っても、五年経っても、ずっとこの質問をされるので、少し嫌になってきてしまいました。毎回、違

22

う人にこの質問をされるのですが、ぼくの答えはひとつだけです。いつも同じことを言わなくてはいけません。そして、いつも同じことを言っているので、だんだん嫌になってきてしまったのです。

ある日、ぼくは翻訳家にインタビューをしました。そしてまた、あの質問をされました。「どうして日本語を勉強しようと思ったのですか?」ぼくは、また同じ質問だと思いながら、いつもと同じように答えようとしました。でも、ぼくはその人に質問をしてみたくなりました。「あなたは、どうして翻訳家になろうと思ったのですか?」その人は、ぼくが質問に答えなかったので、少し驚きました。それから少し考え、小さい時に持っていた外国語で書かれた絵本がとてもきれいだったので、その本をいつか読みたいと思って翻訳家になったのだと教えてくれました。そしてもう一度、ぼくに日本語を勉強しようと思った理由を聞きました。ぼくは、「実は、特別な理由はないんです。高校でなんとなく日本語を勉強したのがきっかけでした」と初めて正直に答えました。すると、「そうですか。でも、日本語が好きで、たくさん勉強したんでしょうね。とても

23

日本語が上手ですから」とにこにこしながら、**ほめ**てくれました。

ぼくは、今までどうして**正直**に答えなかったのだろうかと考えました。「勉強を始めたことに特別な理由が**必要**だったんだろうか？勉強してみて楽しかったから、という理由でもいいじゃないか！」と思いました。そう思ったら、いつも聞かれる「どうして日本語を勉強しようと思ったのですか？」という質問も嫌にならなくなりました。周りの友達みたいに特別な理由がなかったので**決まりが悪かった**だけなんだ、と**気づきました**。

ぼくは、日本に来て 10年経った時に出版社を辞めて、作家になりました。そして今、日本に来て 20年が経ちます。今でも、たまに日本語を勉強し始めた理由を聞かれることはありますが、もう嫌な気分になることはありません。特別な理由はなかったけれど、勉強を始めてから日本について色々なことを知ることができたし、好きな作家を見つけることもできたので、この質問に答えるのが楽しくなりました。

要約 / Summary

<ruby>要約<rt>ようやく</rt></ruby> / Summary

<ruby>初<rt>はじ</rt></ruby>めて<ruby>日本人<rt>にほんじん</rt></ruby>に<ruby>会<rt>あ</rt></ruby>うと、<ruby>必<rt>かなら</rt></ruby>ずこの<ruby>質問<rt>しつもん</rt></ruby>をされます「どうして<ruby>日本語<rt>にほんご</rt></ruby>を<ruby>勉強<rt>べんきょう</rt></ruby>しようと<ruby>思<rt>おも</rt></ruby>ったのですか？」<ruby>特別<rt>とくべつ</rt></ruby>な<ruby>理由<rt>りゆう</rt></ruby>はなかったので、ぼくはこの<ruby>質問<rt>しつもん</rt></ruby>が<ruby>好<rt>す</rt></ruby>きではありませんでした。<ruby>大学<rt>だいがく</rt></ruby>を<ruby>卒業<rt>そつぎょう</rt></ruby>してから、<ruby>出版社<rt>しゅっぱんしゃ</rt></ruby>で<ruby>働<rt>はたら</rt></ruby>きました。この<ruby>出版社<rt>しゅっぱんしゃ</rt></ruby>は、<ruby>日本<rt>にほん</rt></ruby>に<ruby>支社<rt>ししゃ</rt></ruby>を<ruby>持<rt>も</rt></ruby>っていました。その<ruby>支社<rt>ししゃ</rt></ruby>で<ruby>働<rt>はたら</rt></ruby>きながら、たくさんの<ruby>日本人<rt>にほんじん</rt></ruby>にインタビューするようになりました。ある<ruby>日<rt>ひ</rt></ruby>、<ruby>翻訳家<rt>ほんやくか</rt></ruby>にインタビューをしていると、また<ruby>日本語<rt>にほんご</rt></ruby>を<ruby>勉強<rt>べんきょう</rt></ruby>しようと<ruby>思<rt>おも</rt></ruby>った<ruby>理由<rt>りゆう</rt></ruby>を<ruby>聞<rt>き</rt></ruby>かれました。ぼくは、<ruby>正直<rt>しょうじき</rt></ruby>に「<ruby>特別<rt>とくべつ</rt></ruby>な<ruby>理由<rt>りゆう</rt></ruby>はありません」と<ruby>答<rt>こた</rt></ruby>えました。するとこの<ruby>翻訳家<rt>ほんやくか</rt></ruby>は「でも、<ruby>日本語<rt>にほんご</rt></ruby>が<ruby>本当<rt>ほんとう</rt></ruby>に<ruby>好<rt>す</rt></ruby>きで、たくさん<ruby>勉強<rt>べんきょう</rt></ruby>したんでしょうね。とても<ruby>日本語<rt>にほんご</rt></ruby>がお<ruby>上手<rt>じょうず</rt></ruby>ですね」とほめてくれました。もう<ruby>日本<rt>にほん</rt></ruby>に<ruby>来<rt>き</rt></ruby>てから 20<ruby>年<rt>ねん</rt></ruby><ruby>経<rt>た</rt></ruby>ちます。<ruby>今<rt>いま</rt></ruby>でも<ruby>日本語<rt>にほんご</rt></ruby>を<ruby>勉強<rt>べんきょう</rt></ruby>しようと<ruby>思<rt>おも</rt></ruby>った<ruby>理由<rt>りゆう</rt></ruby>を<ruby>聞<rt>き</rt></ruby>かれますが、もう<ruby>嫌<rt>いや</rt></ruby>な<ruby>気分<rt>きぶん</rt></ruby>になることはありません。

Whenever I meet Japanese people, they always ask me this question: What made you study Japanese? I didn't like this question since I had no specific reason. After graduation from college, I worked at a publishing company. This company had a branch office in Japan. Working at this branch office, I started interviewing many Japanese people. One day, when I was interviewing a translator, she also asked me why I started studying Japanese. I straightforwardly said that I didn't have a specific reason. Then she complimented my Japanese saying "But you must have really liked Japanese and studied very hard. You are very good at Japanese." Now, it has been 20 years since I came to Japan. People still ask me the reason why I started studying Japanese, but it doesn't bother me anymore.

単語リスト / Vocabulary List

- 作家 - **sakka**: writer(s)
- 小説 - **shoosetsu**: novel(s)
- 物語 - **monogatari**: story(ries)
- 主に - **omoni**: mainly
- エッセイ - **essei**: essay(s)
- 初めは - **hajimewa**: for the first time
- 暮らす - **kurasu**: to live
- 特に - **tokuni**: especially
- 理由 – **riyuu**: reason(s)
- 彼女 - **kanojo**: girlfriend(s)
- 文化 - **bunka**: culture(s)
- 流行 - **ryuukoo**: trend(s)
- 文学 - **bungaku**: literature(s)
- 興味を持つ - **kyoomi o motsu**: to become interested

- 明治時代 - **meiji jidai**: the Meiji period
- 小説家 - **shoosetsuka**: novelist(s)
- 作品 - **sakuhin**: piece of work
- 夏目漱石 - **natsume sooseki**: Soseki Natsume, a Japanese novelist
- 宮沢賢治 - **miyazawa kenji**: Kenji Miyazawa, a Japanese novelist
- 翻訳 - **honyaku**: translation(s)
- 実は - **jitsu wa**: actually
- 出版社 - **shuppansha**: publishing company(ies)
- 支社 - **shisha**: branch(es)
- 募集する – **boshuu suru**: to recruit
- 応募する - **oobo suru**: to apply

- インタビュー - **intabyuu**: interview(s)
- 経営する - **keiee suru**: to manage, to run
- ヒッチハイク - **hicchihaiku**: hitch-hike
- ダイビング - **daibingu**: diving
- 相手 - **aite**: the other person, the other side
- 翻訳家 - **honyakuka**: translator(s)
- 驚く - **odoroku**: to be surprised
- きっかけ - **kikkake**: trigger(s), as a start
- ほめる - **homeru**: to compliment
- 正直に - **shoojiki ni**: straightforwardly, honestly
- 必要な - **hitsuyoona**: necessary
- 決まりが悪い - **kimari ga warui**: to feel embarrassed
- 気づく - **kizuku**: to realize

1. ぼくが書かないものはどれですか？
   A. 小説
   B. マンガ
   C. エッセイ
   D. 物語

2. ぼくが大学で勉強したのは・・・
   A. 日本史
   B. 美術
   C. 日本文学
   D. 英文学

3. ぼくが日本語を勉強しようと思った理由は、特にありません。
   A. はい
   B. いいえ

4. インタビューをした翻訳家が、翻訳家になろうと思った理由は・・・
   A. 英語が好きだから
   B. 子どもの時に見た映画が面白かったから
   C. 小説が好きだから

D. 子どもの時に持っていた外国語の絵本を読みたかったから

5. 今は、日本語を勉強した理由を聞かれるのは嫌ではありません。

A. はい

B. いいえ

答え / Answers

1. B マンガ
2. C 日本文学
3. A はい
4. D 子どもの時に持っていた外国語の絵本を読みたかったから
5. A はい

CHAPTER 3
夏目漱石 - SOSEKI NATSUME

「吾輩は猫である。名前はまだない」この文を知っていますか？これは、『吾輩は猫である』という小説の冒頭です。この小説を書いたのは、夏目漱石という明治時代の小説家で、『坊ちゃん』や『こころ』など、多くの作品を書きました。夏目漱石は、実は英文学者としても有名です。夏目漱石の作品は、学校の国語の授業でもよく使われるため、読んだことがあるという人は多いと思います。夏目漱石の肖像は、1984年〜2004年まで千円札に使われていたので、もしかしたら小説を読んだことがあるという人よりも、顔を知っているという人の方が多いかもしれません。

明治政府が誕生する一年前、1867年に夏目漱石は今の東京都新宿区で生まれました。八人兄弟の末っ子でした。実は、漱石は生まれてすぐに里子に出され、

家族と一緒に生活をするようになったのは、9歳の時でした。あまり恵まれない子供時代だったそうです。

漱石は英語がとても得意で、1890年（明治23年）に帝国大学（現在の東京大学）の英文科に入学しました。このとき、漱石は 23歳でした。英文学を勉強しながら、俳句を読んだり、『方丈記』を英語に翻訳したりしたといわれています。漱石はとても優秀で、三年後の 1893年に首席で帝国大学を卒業しました。卒業後、漱石は愛媛県松山市にある中学校で英語の先生として働き始めました。愛媛県は、漱石の親友、正岡子規が住んでいました。正岡子規は、明治時代の文学者です。漱石が愛媛県で働き始めた時、子規は病気だったのですが、漱石と子規は二カ月くらい一緒に暮らしました。一緒に暮らしている時、二人は一緒に俳句を詠んだりしたそうです。

1900年（明治33年）、優秀だった漱石は、文部省から英語の研究をするために二年間イギリスに留学するように言われました。イギリスの文明を勉強するために、漱石は日本の代表としてイギリスに行くこ

とになったのです。しかし、この二年間の留学はとても大変で、漱石は「人生で最も大変な二年間だった」と言いました。イギリスに留学している時に一番大変だったことは、お金でした。日本政府からお金はもらっていたのですが、十分ではなかったので、漱石は「お金がない」と、日本にいる奥さんに何度も手紙を書いたといわれています。できるだけ節約しながら一生懸命研究をしましたが、お金の心配と外国での暮らしの不安から、漱石は神経衰弱になってしまいました。そして、イギリス留学を始めてから二年経った、1902年（明治35年）12月に日本に帰国しました。

イギリスから帰国すると、漱石は帝国大学の講師として働き始めました。しかし、大学で問題が起こり、漱石はまた神経衰弱になってしまいました。神経衰弱で苦しんでいる漱石を見て、高浜虚子という人が「小説を書いてみませんか？」と言いました。1904年に漱石は初めての小説『吾輩は猫である』を書きました。この時、漱石は38歳でした。この小説は、漱石の家に遊びに来る黒猫を主人公に書かれた

といわれています。『吾輩は猫である』は人気になり、初版は二十日間で売り切れました。これが漱石の作家としての始まりでした。

それから、漱石は次々と小説を書きました。1905年にはイギリスに留学した時に見たロンドン塔の話『倫敦塔』、1906年には『坊っちゃん』を書きました。そして、1907年に朝日新聞社に入社すると、漱石は作家としてさらに活躍し、『虞美人草』を書きました。この小説を書いている時、また神経衰弱になってしまったといわれています。しかし、漱石は小説を書き続けました。1908年には『三四郎』、1909年には『それから』を書きました。1910年、『門』を書いている時に、漱石は胃潰瘍になり入院してしまいました。退院しても、体調はあまり良くなりませんでしたが、漱石は小説を書き続けました。1912年には『行人』、『彼岸過迄』、そして1914年には『こころ』を書きました。1915年に『明暗』を書き終わらないうちに、体調が悪化し、漱石は亡くなりました。49歳でした。漱石は最後までこの小説の話をしていたといわれています。

日本を代表する小説家の一人、夏目漱石は、10年という短い間にたくさんの作品を書きました。特に、『こころ』は今でも多くの人に読まれている作品で、2016年には日本で一番売れている作品に選ばれました。漱石が亡くなってから 100年以上が経ちますが、漱石の作品は今でも多くの人に楽しまれています。

要約／Summary

夏目漱石は、明治時代の小説家です。漱石は英語が得意だったので、大学では英文学を勉強しました。1900年に文部省に英語の研究をするためにイギリスに留学するように言われ、二年間イギリスに留学しました。帰国してからは、帝国大学の講師として働き始めました。しかし、漱石は体調を崩してしまいました。その時、高浜虚子に「小説を書いてみませんか？」と言われました。その後『吾輩は猫である』を書きました。この小説はとても人気になり、漱石はよりたくさんの小説を書きました。漱石が亡くなってから 100年以上経ちますが、漱石の作品は今でも人気があり、多くの人に楽しまれています。

Soseki Natsume is a novelist from the Meiji period. Since he was good at English, Soseki studied English literature at the Tokyo Imperial University. In 1900, the Education Ministry told him to study abroad in England to perform research on English. Soseki studied in England for two years. Upon returning to Japan, Soseki started working at Tokyo Imperial University. However, he became ill. At that time, Kyoshi Takahama suggested Soseki would write a novel. Then he wrote a novel called "I am a Cat." This novel became very popular, and he then wrote more novels. Although it has been more than 100 years since he passed away,

Soseki's novels are still popular and enjoyed by many people around the world.

単語リスト／Vocabulary List

- 吾輩 - **wagahai**: first person pronoun used for a male
- 吾輩は猫である - **wagahai wa neko de aru**: the novel "I am a Cat"
- 冒頭 - **bootoo**: an opening sentence
- 坊ちゃん - **bocchan**: the novel "Botchan"
- こころ - **kokoro**: the novel "Kokoro"
- 作品 - **sakuhin**: piece of work
- 英文学者 - **eibungakusha**: doctor of English literature
- 国語 - **kokugo**: the national language
- 授業 - **jugyoo**: class(ses)
- 肖像 - **shoozoo**: portrait, figure, image
- 千円札 - **senensatsu**: a thousand-yen bill
- 明治政府 - **meiji seehu**: the Meiji government
- 誕生する - **tanjoo suru**: to be born
- 新宿区 - **shinjuku ku**: Shinjuku ward
- 末っ子 - **suekko**: the youngest child
- 里子 - **satogo**: foster child
- 恵まれない - **megumarenai**: unblessed, unfortunate
- 得意な - **tokuina**: to be good at
- 帝国大学 - **teekoku daigaku**: Tokyo Imperial University
- 英文科 - **eibunka**: the Department of English Literature
- 入学する - **nyuugaku suru**: to enter a school
- 英文学 - **eebungaku**: English literature

- 俳句 - **haiku**: haiku, Japanese seventeen-syllable poem
- 方丈記 - **hoojooki**: a short work written in the early Kamakura period "An Account of My Hut"
- 優秀な - **yuushuuna**: excellent
- 首席 - **shuseki**: the top of the class
- 愛媛県 - **ehime ken**: Ehime Prefecture
- 松山市 - **matsuyama shi**: Matsuyama City
- 親友 - **shinyuu**: best friend
- 正岡子規 - **matsuoka shiki**: Shiki Masaoka, a Japanese poet in the Meiji period
- 文部省 - **monbushoo**: Ministry of Education
- 研究 - **kenkyuu**: research
- 留学する - **ryuugaku suru**: to study abroad
- 文明 - **bunmei**: civilization
- 代表 - **daihyoo**: representative
- 十分な - **juubunna**: plenty, enough
- 奥さん - **okusan**: wife
- できるだけ - **dekirudake**: as much as possible
- 節約する - **setsuyaku suru**: to save money
- 一生懸命 - **isshoo kenmei**: to do one's best
- 心配 - **shinpai**: anxiety, fear
- 外国 - **gaikoku**: foreign country
- 不安 - **huan**: anxiety
- 神経衰弱 - **shinkee suijaku**: mental breakdown
- 帰国する - **kikoku suru**: to return to one's country
- 講師 - **kooshi**: lecturer(s)
- 問題が起こる - **mondai ga okoru**: a problem arises

- 苦しむ - **kurushimu**: to suffer
- 高浜虚子 - **takahama kyoshi**: Kyoshi Takahama, a Japanese poet in the Meiji to Showa period
- 主人公 - **shujinkoo**: main charactor
- 人気になる - **ninki ni naru**: to become popular
- 初版 - **shohan**: the first edition
- 売り切れる - **urikireru**: to be sold out
- 次々と - **tsugitsugito**: one after another
- 朝日新聞社 - **asahi shinbunsha**: the Asahi Shimbun
- 入社する - **nyuusha suru**: to join a company
- 活躍する - **katsuyaku suru**: being successful
- 虞美人草 - **gubijinsoo**: the novel "The Poppy"
- 三四郎 - **sanshiroo**: the novel "Sanshiro"
- それから - **sorekara**: the novel "And Then"
- 門 - **mon**: the novel "The Gate"
- 胃潰瘍 - **ikaiyoo**: stomach ulcers
- 入院する - **nyuuin suru**: being hospitalized
- 退院する - **taiin suru**: discharged from hospital
- 体調 - **taichoo**: health condition
- 行人 - **koojin**: the novel "The Wayfarer"
- 彼岸過迄 - **higansugimade**: the novel "To the Spring Equinox and Beyond"
- 明暗 - **meian**: the novel "Light and Darkness"
- 悪化する - **akka suru**: to become worse
- 亡くなる - **nakunaru**: to pass away
- 選ぶ - **erabu**: to select

41

なつめそうせき　　しょうぞう　　　ご せんえんさつ　つか
1. 夏目漱石の肖像は、五千円札に使われていた。

   A. はい
   B. いいえ

なつめそうせき　　だいがく
2. 夏目漱石は大学で・・・

   えいぶんがく　　べんきょう
   A. 英文学を勉強した
   にほんぶんがく　　　べんきょう
   B. 日本文学を勉強した
   はいく　　べんきょう
   C. 俳句を勉強した
   にほんし　　べんきょう
   D. 日本史を勉強した

なつめそうせき　　か　　　さいしょ　　しょうせつ
3. 夏目漱石が書いた最初の小説は・・・

   A. こころ
   さんしろう
   B. 三四郎
   わがはい　　ねこ
   C. 吾輩は猫である
   めいあん
   D. 明暗

わがはい　　ねこ
4. 『吾輩は猫である』は・・・

   とおかかん　　う　き
   A. 十日間で売り切れた
   にんき
   B. 人気がなかった
   はつかかん　　う　き
   C. 二十日間で売り切れた
   はなし
   D. イギリスの話だ

5. 夏目漱石の小説は、今でも人気がある。

A. はい

B. いいえ

1. B いいえ
2. A <ruby>英文学<rt>えいぶんがく</rt></ruby>を<ruby>勉強<rt>べんきょう</rt></ruby>した
3. C <ruby>吾輩<rt>わがはい</rt></ruby>は<ruby>猫<rt>ねこ</rt></ruby>である
4. C <ruby>二十日間<rt>はつかかん</rt></ruby>で<ruby>売<rt>う</rt></ruby>り<ruby>切<rt>き</rt></ruby>れた
5. A はい

CHAPTER 4

猫の駅長 - THE CAT STATION MASTER

ぼくは、毎日電車に乗る。平日は会社へ行くために、週末は買い物や友達と遊びに行くために電車に乗る。東京にはたくさん電車が走っていて、たくさん駅がある。そして、どの駅にも駅長がいて、駅員がいる。これが当たり前だと思っていた。

ある日、会社から家に帰るために電車に乗っていると、隣に座っている人が読んでいる新聞が見えた。そこには、「ネコの駅長」と書いてあった。ぼくはなんだろうと思い「ネコの駅長」の記事を読もうと思ったけれど、隣に座っていた人はすぐに電車を降りてしまったので、読むことができなかった。

家に帰ってからも「ネコの駅長」のことを考えていた。「ネコが駅長？なんのことだろう？本当にネコが駅で働いているのかな？」ぼくはパソコンを開いて、インターネットで検索してみることにした。

45

「ネコ　駅長」で検索すると、たくさんの記事がヒットした。どうやら、このネコの駅長は本当にいるらしい。和歌山県にある貴志駅という駅で、本当にネコが駅長として働いているらしい。東京にはたくさん駅があるけれど、ネコが駅長をしている駅なんて聞いたことがない。ぼくは、たくさんあるネコの駅長についての記事からひとつ選び、読んでみることにした。

このネコの名前は「たま」と言うらしい。とてもネコらしい名前だ。たま駅長のいる貴志駅は貴志川線の駅のひとつで、たまは、この駅の売店で飼われていたネコだったそうだ。1999年4月、たまのお母さんのミーコが 4匹の子ネコを産んだ。そして、そのうちの一匹がたまだった。生まれてすぐにたまの兄弟はみんなどこかにもらわれたけれど、たまはミーコと一緒に貴志駅で飼われることになったそうだ。

2003年、貴志川線を廃線にするという案が出た。実はお客さんがあまり多くない貴志川線は、ずっと赤字だったのだ。しかし、2006年に貴志川線を経営する会社が代わり、廃線にするという案はなくなっ

た。そして新しい会社の社長が、たまを貴志駅の駅長にすることに決めた。たまとたまの家族が駅で暮らす代わりに、駅で働いてもらうことにしたのだ。2007年にたまが貴志駅の駅長になると、テレビや新聞にネコの駅長の話が出て、たまは人気者になった。そして、お客さんが少なくて困っていた貴志駅には、たまに会うために日本中からお客さんが来るようになった。

ここまで記事を読んで、ぼくは、「たまは本当の招き猫なんだな」と思った。そして、この記事の最後には、たまの勤務日が書いてあった。たまは週六日間、月曜日から土曜日まで貴志駅で働いているらしい。とても働き者のネコだ。

ぼくはカレンダーを見た。実は、明日から五日間休みだけれど、何も予定がなかったのだ。ぼくは「せっかくの連休だし、和歌山県に旅行に行こう！そして、このネコの駅長に会ってみよう！」と思い、旅行の準備を始めた。

次の日の朝、ぼくは新幹線に乗って和歌山県に向かった。和歌山駅に着くのは夕方だから、今日はどこ

47

か駅の近くのホテルに泊まろう。そして明日、貴志駅に行ってみよう。ぼくはとてもワクワクしていた。

そして翌日、ぼくは和歌山駅から貴志川線に乗った。和歌山駅から貴志駅までは 30分くらいだった。学校に行く人や会社に行く人が電車に乗っていたけれど、東京の通勤電車よりもとても空いていた。ぼくは、窓の外の美しい自然を見ていた。「東京の電車からは、こんなにきれいな景色は見られないな」と思って外を眺めていると、あっという間に貴志駅に着いた。

ぼくはドキドキしながら電車を降りた。貴志駅は、ぼくが毎日利用する駅よりずっと小さい駅だった。たまを探していると、「かわいい！」という声が聞こえた。振り返ると、台の上に駅員の帽子を被っているネコが座っていて、そこを通る人達に「にゃあ」と鳴いてあいさつをしている。たま駅長だ！

近づくと、たまはぼくの方を見て「にゃあ」とあいさつをした。触ってもいいのか考えていると、近くにいたおばあさんが「撫でてあげると喜ぶのよ」と教えてくれた。ぼくはドキドキしながら、優しく撫

でてみた。たまは気持ちよさそうに、もう一度「にゃあ」と鳴いた。ぼくは嬉しくなった。

近くにいたおばあさんに、「たま駅長に会いに来たの？」と聞かれた。ぼくは「はい。ネコの駅長がいると聞いて、どうしても会ってみたくなったんです。本当に駅で働いているんですね！」と言うと、そのおばあさんが「たま駅長はとても働き者なのよ。会社に行く人、学校に行く人、みんなたまに会うのが楽しみなの。それに、たまが駅長になってから、たくさんの人が来るようになったのよ。海外からもたまに会いに来るの」と教えてくれた。海外からもたまに会いに来る人がいるなんて、すごいな！

そしておばあさんは、たまが生まれた時の話や、たまのお母さんの話、フランスの映画に出演した時の話もしてくれた。ぼくが「たまが好きなんですね」と言うと、おばあさんは「そうなのよ。病院に行くときしか電車に乗らないんだけど、たまに会うためだけに来ることもあるの」と言った。ぼくはおばあさんとしばらく話をしてから、お礼を言って、和歌山駅行きの貴志川線に乗った。電車に乗る前に、

もう一度たまのところに行って「また会いに来るね」と言うと、「にゃあ」と鳴いてくれた。

和歌山駅に着いて、そのまま東京行きの新幹線に乗った。家の近くの駅に着いた時、**ホーム**には駅員が立っていた。ぼくは「この駅にもネコの駅長がいたらいいのに」と思った。そしたら、毎日会社に行くときも、きっと楽しいのに。そんなことを考えながら、ぼくは家に向かって歩き始めた。とても楽しい二日間だった。

要約／Summary

　ある日、電車に乗っていると、「ネコの駅長」という新聞の記事が見えた。家に帰ってからインターネットで検索すると、和歌山県にある貴志川線の貴志駅で、本当にネコの駅長がいることがわかった。貴志川線は赤字だった。だがたまが駅長になって以来、お客さんが増えたそうだ。ぼくは、このネコの駅長に会うために、和歌山県に旅行に行くことにした。貴志駅に着くと、本当にネコが駅員の帽子を被って駅長として働いていた。この駅で出会ったおばあさんが、たまの話をしてくれた。東京の家の近くの駅に帰ってきて、「この駅にもネコの駅長がいたらいいのに」と思った。

One day, when I was on the train, I saw a newspaper article on "Cat Station Master." Going back home, I searched on the internet and found that there is a cat station master at Kishi Station on the Kishigawa Line in Wakayama Prefecture. The Kishigawa Line was once in the red. Yet, since Tama was appointed as the station master of Kishi station, people started using the line. I decided to go see this cat station master in Wakayama Prefecture. When I arrived at Kishi station, I saw the cat, which wore a stationmaster hat, working as the station master. Also, an old lady, who I met at this station, told me some stories about Tama. Coming back to my station in Tokyo, I wished there was a cat station master at this station as well.

単語リスト／Vocabulary List

- 平日 - **heejitsu**: weekday(s)
- 週末 - **shuumatsu**: weekend(s)
- 駅長 - **ekichoo**: station master
- 駅員 - **ekiin**: station employee(s)
- 当たり前 - **atarimae**: obvious, natural
- 記事 - **kiji**: article(s)
- 検索する - **kensaku suru**: to research
- ヒットする - **hitto suru**: to come up (on the internet)
- 和歌山県 - **wakayama ken**: Wakayama Prefecture
- 貴志駅 - **kishi eki**: Kishi Station
- らしい - **rashii**: just like, typical of

- 貴志川線 - **kishigawa sen**: the Kishigawa Line
- 売店 - **baiten**: kiosk
- 飼う - **kau**: to keep, to have
- 子ネコ - **koneko**: kitten(s)
- もらう - **morau**: to receive
- 廃線 - **haisen**: ending train operations
- 案 - **an**: plan, project
- 赤字 - **akaji**: operating at a loss
- 経営する - **keiee suru**: to manage, to operate
- 代わりに - **kawari ni**: in exchange of
- 人気者 - **ninkimono**: popular person/figure
- 招き猫 - **manekineko**: welcoming cat

- 勤務日 - **kinmubi**: work day(s)
- 働き者 - **hatarakimono**: hard worker(s)
- 予定 - **yotee**: schedule, plan
- 連休 - **renkyuu**: consecutive holidays
- 旅行 - **ryokoo**: trip(s)
- 準備 - **junbi**: preparation(s)
- 新幹線 - **shinkansen**: bullet train
- 向かう - **mukau**: heading for
- ワクワクする - **wakuwaku suru**: thrilled, excited
- 翌日 - **yokujitsu**: the next day
- 通勤電車 - **tsuukin densha**: commuter train(s)
- 空く - **suku**: to become less crowded
- 自然 - **shizen**: nature

- 景色 - **keshiki**: scenery
- 眺める - **nagameru**: to stare at, to gaze at
- あっという間 - **attoiuma**: in no time
- ドキドキする - **dokidoki suru**: to feel excited
- 降りる - **oriru**: to get off
- 振り返る - **hurikaeru**: to look back
- 台 - **dai**: stand(s)
- 近づく - **chikazuku**: to get closer
- 触る - **sawaru**: to touch
- 撫でる - **naderu**: to pat
- 海外 - **kaigai**: overseas
- 出演する - **shutsuen suru**: to appear on
- お礼 - **orei**: appreciation, thank you
- ホーム - **hoomu**: platform of trains

問題／Questions

1. 電車に乗っている時に、ネコの駅長の新聞の記事を見た。

   A. はい
   B. いいえ

2. ネコの駅長は・・・

   A. 山形県にいる
   B. 和歌山県にいる
   C. 京都にいる
   D. 愛媛県にいる

3. ネコの駅長の名前は・・・

   A. ミーコ
   B. シロ
   C. はな
   D. たま

4. たま駅長は・・・

   A. 週六日間働いている
   B. 週三日間働いている
   C. 週五日間働いている
   D. 週二日間働いている

5. たま駅長は、イギリス映画に出演した

A. はい

B. いいえ

答え／Answers
<ruby>答<rt>こた</rt></ruby>え／Answers

1. A はい
2. B <ruby>和歌山県<rt>わかやまけん</rt></ruby>にいる
3. D たま
4. A <ruby>週六日間働<rt>しゅうむいかかんはたら</rt></ruby>いている
5. B いいえ

CHAPTER 5

肝試し - TEST OF COURAGE (KIMODAMESHI)

古い家の前に、高校生が 6人立っている。今は、午後11時40分。周りには街灯もなく、他の家もないので真っ暗だ。でも、全員懐中電灯を持っていた。男の子は、カズヤ、テツ、ケンジの 3人、女の子は、アカネ、カスミ、リカの 3人。6人は高校の同級生で、夏休みになったので、みんなでキャンプに来ていた。

突然、リカが「やめようよ」と言った。カズヤが「怖くなった？」と聞くと、カスミは「この家ってお化けが出るんでしょう？怖いよ」と答えた。テツが「大丈夫だよ。ただの噂だよ。去年の夏に、ぼくの友達が夜中この家に来たけど、何も出なかったって言ってたよ」と言った。みんながしばらく黙っていると、「男女でペアになって、家の中に入る。そして、2階の部屋の机の上に置いてあるコインを持

って帰ってくる。それだけだよ」と、ケンジが言った。「コインってなに？」とアカネが聞くと、ケンジは「このコインだよ。今日の昼間にこの家に来て、2階の部屋の机に置いてきたんだ」と言って、アカネにコインを見せた。「この家に入ったの！？」とリカが聞くと、カズヤが「うん、今日の昼間にぼくたち 3人で来たんだ」と答えた。それを聞いて、カスミは「家の中はどうだった？」と聞いた。カズヤは「すごくきれいだったよ！」と言った。

リカが「でも・・・誰もこの家に住んでいないんでしょう？」と言って、カスミとアカネと顔を見合わせた。アカネが「誰も住んでいないのに、どうしてきれいなの？」と聞いた。カズヤとテツとケンジはしばらく考えてから「汚いよりいいじゃん」と言って、時計を見た。テツは「ほら、あと 3分で 12時になるよ。早くペアを決めようよ！」と言った。

カズヤとアカネ、テツとカスミ、そしてケンジとリカがペアになった。ケンジがもう一度、説明した。「ペアでこの家に入って、2階の部屋の机においてあるこのコインを 1枚持って帰ってくる。ルールは

59

それだけ。家の中はそんなに広くないから、10分くらいで戻ってこられると思うよ。もし何かあったら、外で待っている人に電話をする。わかった？」

最初に、テツとカスミが家に入っていった。2人が家に入ったのを見て、リカは「大丈夫かな？」と心配そうに言った。ケンジは「大丈夫だよ。ただの家だから。誰も住んでいないだけだよ」と答えた。アカネも「そうだよね。昼間に入った時に何もなかったんだから、大丈夫だよね」と家の方を見ながら言った。

テツとカスミが家に入ってから8分が経った。家の玄関が開いて、二人が家から出てきた。テツが「やっぱり誰も住んでいない家って怖いね！でも、ほら！コイン持ってきたよ」と言いながら、コインを見せた。テツとカスミが無事に帰ってきたのを見て、アカネとリカも安心した。

「じゃあ、次はカズヤとアカネね！」とリカが言うと、カズヤとアカネは手をつないで家に入っていった。残った4人は楽しそうに話をしながら、カズヤ

とアカネが帰ってくるのを待っていた。テツは時計を見て、「あれ？カズヤとアカネが入ってから、もう 20分も経ってるよ」と言った。リカは「え？テツとカスミが行った時は、もっと早く帰ってきたのに」と心配して、家を見た。すると家の玄関が開き、カズヤとアカネが出てきた。

アカネが「帰ってくるのが遅いから、心配した？」と聞くと、リカは「心配したよ！どうしたの？何かあったの？」と大きな声で言った。「ごめん、ぼくがアカネにみんなを驚かそうって言ったんだ」とカズヤが言った。アカネは「ごめんね、心配させて」と謝った。

そして、最後にケンジとリカが家に入った。家の中は真っ暗だった。リカが「静かだね」と言うと、ケンジは「そうだね。誰も住んでいないからね」と言った。「大丈夫、昼間来たから、階段の場所も 2階の部屋の場所もわかるから。心配しないで」と笑顔でリカに言った。玄関の横に階段があり、二人はその階段を上った。2階には部屋が一つしかなかった。部屋に入ると、一番奥に机があった。「ほら、コイ

61

ンがあったよ。最後の 1枚！」ケンジはコインを取って、リカに見せた。「あ、本当だ。じゃあ、戻ろう！」

階段を下りる時、ケンジは壁に鏡がかかっていることに気がついた。「あれ？こんな鏡あったかな？」ケンジは鏡を見た。「ケンジ、早く行こうよ！」と、リカの呼ぶ声が聞こえた。「ごめん、ごめん」ケンジは答えて階段を下りた。その時、小さな声で「ありがとう」という声が聞こえた。ケンジは「リカ、今何か言った？」と聞くと、リカは「早くって言ったの！」と答えた。ケンジは何かおかしいと思いながら、リカのところへ行った。

玄関に来てドアを開けると、外でテツ、カスミ、カズヤ、アカネが待っているのが見えた。リカが「やっぱりちょっと怖かったね」と言い、先に外に出た。リカに続いてケンジも外へ出ようとすると、急に前に進めなくなった。

「え？どうして？」ケンジはびっくりした。どうして前に進めないんだろう？リカ、待ってよ！前を見ると、リカはケンジと歩いていた。どうしてぼくが

前にいるの？すると、"ケンジ"が振り向いて、「やっとこの家から出られた。ありがとう。今日からぼくがケンジだから」と言った。なんで！どうして！？「大丈夫。次に来た人が鏡を見てくれれば、君も家から出られるよ。家をきれいにしておくといいよ」とリカと歩いている"ケンジ"が言うと、玄関のドアが閉まった。

テツ、カスミ、カズヤ、アカネ、リカが"ケンジ"を呼んだ。「ケンジ！早く！」"ケンジ"は走っていった。

要約／Summary

高校生6人が、古い家の前に立っていた - 男の子が3人、女の子が3人。この古い家には、お化けが出るという噂があった。そこで、男の子と女の子がペアになって家に入り、2階の部屋の机の上にあるコインを取ってくるというゲームをすることにした。ケンジとリカは2階の部屋に入って、コインを見つけた。階段を降りる時、ケンジは壁に鏡があるのに気がついた。そして、「ありがとう」という声が聞こえた。リカが家の外に出た後、ケンジも外に出ようとすると、前に進めなかった。ケンジが前を見ると、リカと一緒に"ケンジ"が歩いていた。"ケンジ"は振り向いて、「次に来た人が鏡を見たら、そこから出られるよ」と笑いながら言った。

Six high school students were standing in front of an old house -- three boys and three girls. This house was said to be haunted by ghosts. They decided to pair up with one boy and one girl, go inside the house, and bring back a coin from a room on the second floor. Kenji and Rika went to the second floor, they went into the room and found a coin. As they were going downstairs, Kenji realized there was a mirror on the wall and also heard someone saying "thank you." Rika went out of the house first. Kenji was also going out, but he wasn't able to move forward. When Kenji looked ahead, Rika was walking with "Kenji." "Kenji" looked back and said with a smile "If someone comes to this place and looks into the mirror, you can come out of this place."

単語リスト／Vocabulary List

- **肝試し - kimodameshi:** test of courage
- **街灯 - gaitoo:** street light(s)
- **真っ暗 - makkura:** complete darkness
- **懐中電灯 - kaichuu dentoo:** flashlight(s)
- **同級生 - dookyuusei:** classmate(s)
- **キャンプ - kyanpu:** camping
- **突然 - totsuzen:** all of a sudden
- **お化け - obake:** ghost(s)
- **噂 - uwasa:** rumor(s)
- **夜中 - yonaka:** midnight
- **昼間 - hiruma:** daytime
- **汚い - kitanai:** dirty
- **説明する - setsumei suru:** to explain
- **ルール - ruuru:** rule(s)
- **広い - hiroi:** spacious

- **戻る - modoru:** to return
- **玄関 - genkan:** entrance
- **無事に - buji ni:** safely, without any trouble
- **安心する - anshin suru:** to feel relieved
- **手をつなぐ - te o tsunagu:** to hold hands
- **謝る - ayamaru:** to apologize
- **階段 - kaidan:** staircase(s)
- **壁 - kabe:** wall(s)
- **鏡 - kagami:** mirror(s)
- **呼ぶ - yobu:** to call
- **続く - tsuzuku:** to follow
- **急に - kyuu ni:** suddenly
- **進む - susumu:** to go forward
- **やっと - yatto:** at last, finally
- **閉まる - shimaru:** to close

66

問題／Questions

1. 高校生たちは、キャンプに来ていた。

   A. はい
   B. いいえ

2. この古い家は・・・

   A. リカのおじいさんの家だ
   B. お化けが出るという噂だ
   C. 賑やかだ
   D. みんながキャンプをしていた場所だ

3. カズヤとアカネは、家に入ってから・・・

   A. 8分で帰ってきた
   B. 20分で帰ってきた
   C. 10分で帰ってきた
   D. 帰ってこなかった

4. 最初に家に入ったのは・・・

   A. リカとカスミ
   B. ケンジとアカネ
   C. リカとケンジ
   D. テツとカスミ

67

5. ケンジは、古い家から出られなかった。

   A. はい
   B. いいえ

<ruby>答<rt>こた</rt></ruby>え／Answers

1. A はい
2. B お<ruby>化<rt>ば</rt></ruby>けが<ruby>出<rt>で</rt></ruby>るという<ruby>噂<rt>うわさ</rt></ruby>だ
3. B 20<ruby>分<rt>ぶん</rt></ruby>で<ruby>帰<rt>かえ</rt></ruby>ってきた
4. D テツとカスミ
5. A はい

CHAPTER 6

手塚治虫 - OSAMU TEZUKA

日本で初めて放送された 30分間のテレビアニメを知っていますか？『鉄腕アトム』です。では、『鉄腕アトム』の漫画を描いた人は誰か知っていますか？手塚治虫という漫画家です。手塚治虫は、『鉄腕アトム』以外にも『ジャングル大帝』、『リボンの騎士』、『ブラック・ジャック』など、多くの漫画を描きました。有名な漫画家で、藤子不二雄や赤塚不二夫、宮崎駿など多くの人に影響を与えました。そして現在、手塚治虫は「漫画の神様」と呼ばれています。この漫画の神様にまつわるたくさんの面白い話があります。ここでは、3 つの有名な話を紹介しましょう。

手塚治虫は、大阪で生まれました。しかし、お母さんは東京生まれで関西弁を話さなかったので、手塚治虫は関西弁を話すことができませんでした。

小学校に入学した時、関西弁を話すことができなかった手塚治虫はいじめられたそうです。クラスメイトにいじめられていたけれど、手塚治虫は漫画が大好きだったので、たくさん漫画を描きました。そして、いじめっ子たちは手塚治虫が描いた漫画を見て、とても上手だったので驚きました。それから、手塚治虫はいじめられなくなったそうです。そして休み時間になると、黒板に絵を描いてクラスメイトと遊んだそうです。

とても有名な話なので知っている人もいるかもしれませんが、手塚治虫は、実は医者の免許を持っていました。1945年に高校を卒業すると、大阪大学の医学部に入学しました。大学在籍中の 1950年に漫画家デビューし、1952年には医師国家試験を受け、試験に合格しました。手塚治虫は、漫画家を続けるか、医者になるか迷いました。大学の先生に相談すると、先生は「医者にならないで、漫画家になりなさい」と言いました。お母さんにも相談すると「好きな方をやりなさい」と言われました。手塚治虫は悩みましたが、「患者の顔を見ると似顔絵を描きたくなる

から、漫画家になろう」と思い、漫画家になること
にしました。

手塚治虫は、漫画を描くことが本当に好きでした。
一番忙しい時には、一度に 6 つの漫画を描いていま
した。とても忙しく、寝る時間もあまりなかったそ
うです。一日平均4時間くらいしか寝ずに、漫画を
描き続けました。1985年にテレビのインタビューを
受けた時、手塚治虫は「ぼくはあと 40年、100歳に
なるまで漫画を描きますよ！アイデアはたくさんあ
るんです！」と言っていたそうです。しかし、1988
年、手塚治虫は癌で入院してしまいました。そして、
亡くなる直前まで奥さんに「頼むから、仕事をさせ
てくれ」と言っていたそうです。1989年に手塚治虫
は病院で亡くなりました。亡くなった時、漫画を 3
つ描いている途中でした。これらの作品は、未完の
ままになっています。

手塚治虫は、たくさんの漫画を描きました。全部で
約700作品、15万ページも漫画を描いたと言われてい
ます。現在、亡くなってから 30年以上が経ちますが、
手塚治虫の漫画は今も愛されています。日本だけで

はなく海外でも人気があり、**英語、中国語、フラン
ス語、ロシア語、タイ語**など、14カ国語に**翻訳**され
ているそうです。

要約／Summary

　手塚治虫は、とても有名な漫画家です。多くの人に影響を与えたので、今では「漫画の神様」と呼ばれています。ここでは、手塚治虫について面白い話を３つ紹介します。一つ目の話は、手塚治虫が小学生の時の話です。手塚治虫は関西弁を話すことができなかったので、学校でいじめられていました。しかし、いじめっ子たちは手塚治虫の描く漫画を見て、いじめるのをやめました。二つ目の話は、大学の時の話です。手塚治虫は、医学を勉強しました。医師国家試験にも合格しましたが、手塚治虫は漫画家になることにしました。最後の話は、仕事についてです。手塚治虫は漫画が大好きで、いつも仕事をしていました。亡くなる直前にも「頼むから、仕事をさせてくれ」と言っていたそうです。手塚治虫の作品は、今でも世界中の人に愛されています。

Osamu Tezuka is a very famous manga artist. Having influenced many people, he is now called "the God of Manga." Here, we will tell you three interesting stories about Tezuka. The first story is about when Tezuka was an elementary student. Tezuka was bullied because he could not speak the Kansai dialect. However, the bullies stopped bullying him after they saw Tezuka's manga. The second story is about when he was a college student. Tezuka studied medical science. Although he passed the national exam for medical practitioners, he decided to become a manga artist. The last story is about work. Tezuka loved manga and was always working. Even right before his passing, Tezuka said "Let me do my work, for God's sake!" Even today, his works are loved by many people all around the world.

単語リスト／Vocabulary List

- 初めて - **hajimete**: for the first time
- 放送する - **hoosoo suru**: to broadcast
- 鉄腕アトム - **tetsuwan atomu**: the manga "Astroboy"
- 描く - **kaku**: to draw
- 手塚治虫 - **tezuka osamu**: Osamu Tezuka, the God of Manga
- 漫画家 - **mangaka**: manga artist(s)
- ～以外 - **igai**: except for ～
- ジャングル大帝 - **janguru taitee**: the manga "Jungle Emperor Leo"
- リボンの騎士 - **ribbon no kishi**: the manga "Princess Knight"
- ブラック・ジャック - **burakku jakku**: the manga "Black Jack"

- 藤子不二雄 - **hujiko hujio**: Fujio Fujiko, a manga artist duo known for Doraemon
- 赤塚不二夫 - **akatsuka hujio**: Fujio Akatsuka, a manga artist known for Osomatsu-kun
- 宮崎駿 - **miyazaki hayao**: Hayao Miyazaki, an animator/manga artist, the founder of Studio Ghibli
- 影響を与える - **eikyoo o ataeru**: to make an impact on
- 神様 - **kamisama**: God
- 紹介する - **shookai suru**: to introduce
- 関西弁 - **kansaiben**: the Kansai dialect
- いじめる - **ijimeru**: to bully
- いじめっ子 - **ijimekko**: bully(ies)
- 休み時間 - **yasumi jikan**: break time(s)

76

- 黒板 - **kokuban**: blackboard(s)
- 実は - **jitsu wa**: in fact
- 医者 - **isha**: doctor(s)
- 免許 - **menkyo**: license(s)
- 大阪大学 - **oosaka daigaku**: The Osaka University
- 医学部 - **igakubu**: the Department of Medical Sciences
- 在籍中 - **zaisekichuu**: while one is in school or a group
- デビュー - **debyuu**: to debut
- 医師国家試験 - **ishi kokkashiken**: the national exam for medical practitioners
- （試験）を受ける - **(shiken) o ukeru**: to take (an exam)
- 合格する - **gookaku suru**: to pass an exam
- 続ける - **tsuzukeru**: to continue
- 相談する - **soodan suru**: to ask someone's opinion
- 悩む - **nayamu**: to consider
- 患者 - **kanja**: patient(s)
- 似顔絵 - **nigaoe**: portrait(s)
- 平均 - **heekin**: in an average
- インタビューを受ける - **inntabyuu o ukeru**: to be interviewed
- アイデア - **aidea**: idea(s)
- 癌 - **gan**: cancer
- 入院する - **nyuuin suru**: to be hospitalized
- 亡くなる - **nakunaru**: to pass away
- 直前 - **chokuzen**: right before
- 奥さん - **okusan**: wife
- 頼むから - **tanomukara**: I beg you, for God's sake
- 途中 - **tochuu**: in the middle, on the way
- 未完 - **mikan**: incomplete

- 作品 - **sakuhin**: piece of work(s)
- 英語 - **eego**: English
- 中国語 - **chuugokugo**: Chinese
- フランス語 - **huransugo**: French
- ロシア語 - **roshiago**: Russian
- タイ語 - **taigo**: Thai
- 翻訳する - **honyaku suru**: to translate

問題／Questions

1. 手塚治虫が描かなかった漫画は・・・

   A. ジャングル大帝

   B. 鉄腕アトム

   C. ドラえもん

   D. リボンの騎士

2. 手塚治虫は、大阪大学で何を勉強しましたか？

   A. 日本文学

   B. 医学

   C. 美術

   D. 漫画

3. 手塚治虫は、大学の先生の似顔絵を描いた。

   A. はい

   B. いいえ

4. 手塚治虫は亡くなった時、いくつ漫画を描いているところでしたか？

   A. 3つ

   B. 5つ

   C. 4つ

   D. 6つ

5. 手塚治虫は、全部で何作品描きましたか？

   A. 約15作品
   B. 約700作品
   C. 約30作品
   D. 約100作品

<ruby>答<rt>こた</rt></ruby>え／Answers

1. C ドラえもん
2. B <ruby>医学<rt>いがく</rt></ruby>
3. B いいえ
4. A 3つ
5. B <ruby>約<rt>やく</rt></ruby>700<ruby>作品<rt>さくひん</rt></ruby>

CHAPTER 7

人工知能 - ARTIFICIAL INTELLIGENCE

午前7時。駅前にある小さなカフェの前で、一人の女性がテーブルとイスを並べていました。駅へ向かう高校生が「ユキさん、おはよう！夕方に勉強しに来るね」と、その女性に声をかけました。「いってらっしゃい！学校、頑張ってね」と、女性は笑顔で返事をしました。次に、会社に行く途中のサラリーマンが「ユキちゃん、コーヒーをテイクアウトしたいんだけど」と言いました。女性は「はい。今、コーヒーを淹れますね」と言って、お店の中に入りました。

この女性の名前はユキといい、このカフェでウェイトレスとして働いています。この駅前にある小さなカフェには、毎日たくさんのお客さんが来ます。毎朝必ずコーヒーを飲みに来る人や、水曜日にケーキを食べに来る人、そして勉強をしに来る学生もい

ます。ユキは親切で**働き者**で、お客さんにとても人気があります。

ユキはコーヒーを淹れて「コーヒー一杯で、300円です」と言って、サラリーマンにコーヒーを渡しました。サラリーマンはお金を払ってからコーヒーを受け取り、「ありがとう。ユキちゃんの淹れるコーヒーは本当においしいなあ。今日も仕事、頑張ろう！」と言ってお店を出ました。ユキは「ありがとうございました！いってらっしゃい！」と言いました。

ユキがテーブルを**拭いて**いると、**店長**がお店に入ってきました。「ユキちゃん、おはよう！」と店長が言うと、ユキも「おはようございます！」とあいさつをしました。そして、店長はにっこり笑って「今日も一日、頑張ろうね！」とユキに言いました。

午後2時になり**ランチタイム**が終わると、お店が少し**空いて**きました。店長は「今日のランチタイムも忙しかったね。ユキちゃん、ありがとう！少し**遅く**なったけど、お昼ごはんは何食べたい？」と言いました。「**クロックマダム**がいいです！」と店長に言

うと、「いいよ！ちょっと待っててね」と言って、店長はクロックマダムを作り始めました。

ユキがクロックマダムを食べていると、店長が「そうだ。今日の夕方に、田中さんがコーヒーマシンの点検をするためにお店に来ると思うんだ」と言いました。ユキは笑顔で「はい。田中さんが来たら、奥の部屋でお話をすればいいんですよね」と返事をしました。

午後4時になり、グレーのスーツを着た男の人がカフェに入ってきました。「こんにちは！」と言ってから、その男の人は店長に「コーヒーマシンの点検に来ました」と言いました。店長は「田中さん！こんにちは。いつもありがとうございます」と返事をして、「ユキちゃん！」とユキを呼びました。ユキは「田中さん、奥の部屋へどうぞ」と言って、田中と一緒に奥の部屋に入りました。

奥の部屋に入ると、小さなテーブルが１つとイスが２つありました。イスに座ると、田中はユキに質問し始めました。「ユキさん、今日は何時に仕事を始めましたか？」「午前7時に仕事を始めました。」

84

「そうですか。いつも午前7時に仕事を始めますか?」「はい、火曜日はお休みですけど、それ以外は午前7時から仕事をします」「それでは、何時に仕事が終わりますか?」「いつも、だいたい午後5時くらいに仕事が終わります」「**休み時間**はありますか?」「ええ、お昼に 1時間と午前と午後に 30分ずつ休み時間があります」「毎日何杯くらいコーヒーを淹れますか?」「だいたい 50杯くらい淹れます」

田中はいつもお店に来ると、ユキの仕事についてたくさん質問をします。ユキは「田中さんはコーヒーマシンの点検をするためにお店に来るのに、どうして私とたくさん話をするのかな?」と**不思議に思**っていました。田中と話していると、いつもユキは眠くなり、少し**昼寝**をしてしまいます。そして、ユキは今日も寝てしまいました。

田中はユキが寝たのを見て、「よく寝てる。点検しておかないと」と言って、カバンから**機械を取り出**し、ユキの頭に置いて、**スイッチを入れました。**ピッ・・・ピッ・・・ピッ・・・。「うん、大丈夫。

問題ない。実はユキさんがコーヒーマシンだなんて、店長とぼくしか知らないだろうなあ」

10分後、ユキが目を覚ますと、田中はコーヒーを飲んでいました。「ユキさん、少し疲れているね」と田中は言いました。ユキは「ごめんなさい。また寝てしまいました。どうして田中さんとお話すると眠くなるのかな？」と、謝りました。田中は「大丈夫だよ。いつも一生懸命仕事をしているんだね」と笑いました。

二人が部屋から出てくると、店長は「ユキちゃん、大丈夫？」と声をかけました。「大丈夫です。でも、また少し寝ちゃったみたいです」と言って笑いました。店長は大きな声で笑いながら、「いつも頑張っているから、少し疲れちゃったかな？たまにはさぼってもいいんだよ」と言いました。田中は「店長、たまにはユキさんを休ませてあげてくださいね」と言ってから、「あ、コーヒーマシンですが、問題はありませんでした。大事に使ってくださいね」と続けました。店長は「田中さん、ありがとう。また来月も待っていますね」と言って、テイクアウトの

コーヒーを田中に渡しました。「これはぼくが淹れたコーヒーですけど、どうぞ」と言うと、田中は「ありがとうございます！でも、ぼくもユキさんの淹れたコーヒーがよかったなあ」と笑いながら言いました。すると、ユキも笑いながら「じゃあ、来月は私が淹れますね」と言いました。

要約／Summary

ユキは駅前のカフェで働いています。ユキは親切で働き者で、お客さんに人気があります。コーヒーマシンの点検をするために、毎月、田中さんという男の人がカフェに来ます。田中さんが来ると、ユキはいつも田中さんと二人でたくさん話をします。しかし話をしていると、ユキはいつも寝てしまいます。実は、ユキがコーヒーマシンだったのです。ユキが寝ると、田中さんは機械を使って点検をします。今日も田中さんが来て、"コーヒーマシン"の点検をしました。田中さんは、来月も来ると言って帰って行きました。

Yuki works at a cafe in front of the station. She is kind and hardworking and very popular among the customers. Every month, a man named Tanaka comes to the cafe in order to check up on a coffee machine. When he comes, Yuki and Tanaka talk a lot. But she always falls asleep while talking with him. In fact, Yuki is the coffee machine. While she is sleeping, Tanaka checks the coffee machine using some sort of device. Today, Tanaka comes to the cafe and checks the coffee machine as always. Saying he will come next month, Tanaka leaves the cafe.

単語リスト／Vocabulary List

- 駅前 - **ekimae**: in front of the station
- 向かう - **mukau**: to move toward
- 返事をする - **henji o suru**: to reply
- テイクアウト - **teikuauto**: take-away/take-out
- コーヒーを淹れる - **koohii o ireru**: to brew coffee
- ウェイトレス - **weitoresu**: waitress(s)
- 働き者 - **hatarakimono**: hard worker(s)
- 拭く - **huku**: to wipe
- 店長 - **tenchoo**: store manager
- ランチタイム - **ranchi taimu**: lunchtime
- 空く - **suku**: to become less crowded
- 遅い - **osoi**: late

- クロックマダム - **kurokku madamu**: croque madame
- 点検 - **tenken**: checking, inspection(s)
- 休み時間 - **yasumi jikan**: break time(s)
- 不思議に思う - **hushigi ni omou**: to wonder
- 眠い - **nemui**: sleepy
- 昼寝 - **hirune**: nap(s)
- 機械 - **kikai**: device(s), machine(s)
- 取り出す - **toridasu**: to take out
- スイッチを入れる - **suicchi o ireru**: to turn on a switch
- 目を覚ます - **me o samasu**: to wake up
- さぼる - **saboru**: to slack off

89

問題／Questions

1. コーヒーは、一杯いくらですか？

   A. 700円

   B. 300円

   C. 450円

   D. 500円

2. ユキの休み時間は、全部で何時間ですか？

   A. 30分

   B. 1時間

   C. 2時間

   D. 50分

3. 田中さんと話していると、ユキはいつも眠くなる。

   A. はい

   B. いいえ

4. 田中さんは、毎月何をしにカフェに来ますか？

   A. コーヒーを飲みに来る

   B. ユキと話しに来る

   C. コーヒーマシンの点検に来る

   D. 遊びに来る

5. ユキがコーヒーマシンだということは、田中さ
んしか知らない。

A. はい
B. いいえ

答え／Answers

1. B 300円
2. C 2時間
3. A はい
4. C コーヒーマシンの点検に来る
5. B いいえ

CHAPTER 8
おじぎ - BOWING

「すみません！」と大きな声で言って、ロバートはおじぎをした。女の人も「いいえ、大丈夫ですよ」とおじぎをして歩いて行った。

夕方7時、新宿駅はとても混んでいた。持っていた傘が女の人のカバンにぶつかってしまい、ロバートは「すみません」と言った。ロバートは少し考えて、笑ってしまった。考えなくても、おじぎができた。

ロバートが日本に来て 5年が経った。今は新宿にある会社で働いている。日本に来る前に日本語を勉強して、日本語能力試験一級も受かっていたので、日本に来て日本の会社で働いても困ることはなかった。日本食も好きだし、日本文化にも興味があったので、日本の生活は楽しかった。でも、ひとつだけ大変だったことがある。それが「おじぎ」だ。

日本語の先生が「日本人は、よくおじぎをします。日本では、おじきがとても重要です」と教えてくれた。それから、日本のドラマや映画を見るときに、いつおじぎをするのかをよく観察した。本当にみんなよくおじぎをする。学校で学生が先生にあいさつをするときには、必ずおじぎをする。先生は学生におじぎをしなくてもいいみたいだった。ビジネスシーンでは、みんな驚くほどおじぎをする。スーパーでも、店員はたいていおじぎをしていた。アメリカの生活ではおじぎをすることはないので、ロバートはとても驚いた。

そして、日本語の先生はおじぎの種類も教えてくれた。「おじぎには、3種類あります。会釈、敬礼、最敬礼です。会釈は軽く頭を下げるおじぎです。これは簡単なあいさつをするときに使います。敬礼は、会釈よりも深く頭を下げるおじぎです。これはビジネスで一番多く使うおじぎです。そして、最敬礼は最も丁寧なおじぎです。これは誰かに謝ったりするときに使います」と教えてくれた。ロバートは、「おじぎは 3種類もあるのか」と思った。アメリカ

にいた時は、日本語の先生と話すときしかおじぎをすることはなかったので、ロバートは困らなかった。

しかし、日本の会社で働くようになって、ロバートは、おじぎは思っていたよりも大変だと思った。会社で、**同僚**にあいさつするときには会釈をした。これは、日本語の先生にあいさつするときと同じだったので、簡単だった。**取引相手**にあいさつをするときにも、会釈をした。そうしたら、同僚が「取引相手には、もっと深く頭を下げないとだめだよ」と言った。敬礼をしないといけないらしい。そして同僚が「相手のおじぎを見て、それを**真似すれ**ばいいよ。でも**目上の人**には、相手よりも深く頭を下げるんだよ」と教えてくれた。それから、ロバートは相手の真似をしておじぎをすることにした。

ある日、ロバートは新しい夏の**スーツ**を買うために会社の同僚と**デパート**に行った。同僚は「あのデパート、今**セール**をしているんだ。いいスーツがあるといいなあ」と言っていた。ロバートは新しいスーツを 2着買った。デパートの店員は「ありがとうございました」と言って、最敬礼をした。それを見て、

ロバートも「ありがとうございました」と言って、最敬礼をした。店員はロバートが最敬礼するのを見て、少し驚いたようだったけれど、ロバートは理由がわからなかった。困っているロバートを見て、同僚は少し笑いながら「ロバートはお客さんだから、**あんなに**頭を下げなくてもいいんだよ」と教えてくれた。ロバートは「**なるほど**」と思った。それ以来、買い物のときは、店員よりも少しだけ軽くおじぎをするようにした。

ロバートは、毎日日本人がどんなときに、どのおじぎをするのかを観察した。ロバートが他の人と話しているときでも、**廊下**で会うと同僚は会釈をしてくれた。お母さんに怒られた子どもは、泣きながら頭を深く下げて謝っていた。ロバートが住んでいるマンションの隣の部屋の人は、いつも会うと会釈をしてくれた。朝から夜まで、みんなたくさんおじぎをしていた。

ある日、ロバートは不思議に思って同僚に聞いてみた。「みんなどうやっておじぎを**学んだ**の?」すると、同僚は「**特別**に学んだことはないなあ。小さい

時から、家の中や学校でみんながおじぎをするのを見ていたから、自然に**覚えた**んじゃないかな？」と言った。ロバートは「なるほど」と思った。そしてロバートはおじぎの観察を続けた。

それから 2年経った時、同僚が「ロバートはもう日本人だね！」と言った。ロバートは、何の話だろう？と思った。すると「前に、おじぎの話をしたことがあったでしょう？最初は難しかったみたいだけど、今はすごく自然だよね。日本人みたいだよ！」と笑いながら言った。「そうだ。そんなことがあったなあ・・・」と思い出した。

その日は雨が降っていたので、ロバートは傘を持って電車に乗っていた。時間は午後7時。新宿駅はとても混んでいた。歩いていると、**濡れた**自分の傘が女の人のカバンにぶつかってしまった。それに気づいて、ロバートは「すみません！」と頭を下げて謝った。女の人は「いいえ、大丈夫ですよ」と笑顔で言うと、歩いて行った。そしてロバートは、「本当だ。考えなくても、もうおじぎができるんだ」と思い、笑った。

要約／Summary

ロバートには、日本に来て大変なことがひとつだけありました。それは、おじぎです。おじぎには 3 種類もあって、日本人はみんな、朝から夜までたくさんおじぎをしています。日本の会社で働き始めた時、ロバートはいつ、どのおじぎをしたらいいのかわかりませんでした。毎日よく観察して、いつ、どのおじぎをするのかを勉強しました。そしてある日、新宿駅で自分の傘が女の人のカバンにぶつかってしまった時、ロバートは「すみません！」と言って、おじぎをしました。何も考えずにおじぎができるようになって、ロバートは嬉しくなりました。

Since Robert moved to Japan, there was one thing that was troublesome. That is bowing. There are three types of bowing and Japanese people always bow from morning to night. When Robert started working for a Japanese company, he didn't know which bow he should do. Every day he observed people to figure out when and which bow he should do. One day, Robert hit a woman's bag with his umbrella by accident at Shinjuku Station and bowed saying "Excuse me!" He got happy because he did the right bow without thinking.

単語リスト／Vocabulary List

- おじぎをする - **ojigi o suru**: to bow
- 新宿駅 - **shinjuku eki**: Shinjuku Station
- 混む - **komu**: to get crowded
- 傘 - **kasa**: umbrella(s)
- ぶつかる - **butsukaru**: to bump into somone/something
- 日本語能力試験 - **nihongo nooryoku shiken**: the Japanese Language Proficiency Test
- 一級 - **ikkyuu**: level 1
- 大変な - **taihenna**: hard, tough
- 重要な - **juuyoona**: important
- ドラマ - **dorama**: TV series
- 映画 - **eega**: movie(s)
- 観察する - **kansatsu suru**: to observe

- ビジネスシーン - **bijinesu shiin**: business setting
- 種類 - **shurui**: type(s), category(ries)
- 会釈 - **eshaku**: the light bow
- 敬礼 - **keeree**: the medium bow
- 最敬礼 - **saikeeree**: the deep bow
- 軽く - **karuku**: lightly
- 深く - **hukaku**: deeply
- 丁寧な - **teeneena**: polite
- 謝る - **ayamaru**: to apologize
- 同僚 - **dooryoo**: colleague(s)
- 取引相手 - **torihiki aite**: business partner(s)
- 真似する - **mane suru**: to imitate

- 目上の人 - **meue no hito**: elders/seniors, higher ranking people
- スーツ - **suutsu**: suit(s)
- デパート - **depaato**: department store(s)
- セール - **seeru**: on sale
- あんなに - **annani**: like that
- なるほど - **naruhodo**: I see.

- 廊下 - **rooka**: hallway(s)
- 学ぶ - **manabu**: to learn
- 特別に - **tokubetsu ni**: especially, particularly
- 覚える - **oboeru**: to remember, to memorize
- 濡れる - **nureru**: to get wet, being wet

100

1. ロバートは、アメリカでおじぎを学ばなかった。

   A. はい
   B. いいえ

2. おじぎには、何種類ありますか？

   A. 5種類
   B. 3種類
   C. 2種類
   D. 7種類

3. おじぎについて、同僚のアドバイスは・・・

   A. 相手の真似をすればいい
   B. 同僚には敬礼する
   C. デパートでは最敬礼する
   D. 廊下で会っても会釈しない

4. 同僚は、学校でおじぎについて学んだ。

   A. はい
   B. いいえ

5. ロバートは、おじぎについて学ぶために・・・

   A. 本を読んだ
   B. 学校で勉強した

C. 日本人をよく観察した

D. 日本語の先生に教えてもらった

答え／Answers
こた

1. B いいえ
2. B 3種類
しゅるい
3. A 相手の真似をすればいい
あいて まね
4. B いいえ
5. C 日本人をよく観察した
にほんじん かんさつ

CHAPTER 9

エイプリルフール - *APRIL FOOLS' DAY*

今日は四月一日。**新学期**の最初の日だ。ハルカはいつも通り 7時30分に家を出て、8時に学校に着いた。ハルカは今日から高校2年生。少し**緊張**しながら、2年3組の教室に入った。教室の中に入ると、**親友**のエミがいた。「エミ、おはよう！」とハルカが声をかけると、エミは「おはよう！」と返事をした。エミは「ハルカ、今年も同じクラスだね。よろしくね」と嬉しそうに言った。黒板を見ると、**席順**が書いてあった。ハルカが「エミは私の前の席なんだね」と言うと、エミは「うん。席が近くて嬉しいな」と笑った。

しばらくすると、先生が教室に入ってきた。「このクラスの**担任**の木村です。**数学**を担当します」と自己紹介をした。すると、「木村先生か・・・あん

まり好きじゃないんだよね」と、エミが小声で言うのが聞こえた。

ハルカは、ぼんやりしながら一年前のことを考えていた。去年の四月一日は入学式で、ハルカとエミが初めて話をした日だった。エミはとても気さくで、その日のうちに仲良くなり、一緒に下校した。帰り道、ハルカとエミが一緒に歩いていると、ハルカが突然「あのね、今日私の誕生日なんだ」と言った。エミはびっくりして「え？そうなの？」と言って、ハルカの顔を見て、「誕生日なのに、どうして悲しそうな顔をしてるの？」と聞いた。ハルカは「四月一日はエイプリルフールでしょう？」と返事をした。エミは「うん・・・」と言ってから、ハルカが何を言いたいのかわからないので、黙って待っていた。ハルカは「中学生の時に、クラスの男の子たちに、私の誕生日は、エイプリルフールだから嘘なんだって言われたの。だから私の誕生日はお祝いしなくてもいいんだって言われて・・・」と悲しそうに言った。それを聞いたエミは「ひどい！ねえ、これから一緒にケーキを食べながらお祝いしようよ！」と言

い、ハルカとエミは駅の近くにある小さなカフェに行き、ハルカの誕生日を祝った。

授業が終わり、ハルカはいつもと同じように「エミ、帰る準備できた？」と聞くと、エミは「うん！」と笑顔で答えた。それから、エミは少し困ったような顔をして「ハルカ、あの・・・今日、一緒に帰れないの。ごめんね」と言った。ハルカは「どうしたの？部活？」と聞くと、エミは「ううん、違うの。だけど・・・ちょっと用事があって・・・走って帰らなきゃいけないんだ」と答えた。ハルカは「なんか変だな」と思ったけれど、「わかった。じゃあ、また明日ね。気をつけてね」と言った。それを聞くと、エミは「うん！ハルカもね！バイバイ！」と言って、走って行った。エミが走って行くのを見ながら、ハルカは「今年の誕生日も一緒にお祝いしてくれると思ったんだけどな・・・」とつぶやいた。

駅に向かって歩いていると、去年エミと一緒に誕生日を祝った小さなカフェが見えた。このカフェはケーキが美味しいので、ハルカとエミはときどきこのカフェに来る。二人のお気に入りは、チョコレ

ートケーキとチーズケーキとモンブランだ。ハルカはカフェを見ながら、「お母さんが、今日の夜は家で誕生日パーティをするって言ってたな。きっとケーキもあるんだろうな」と思ったけれど、一人でそのカフェに入った。

席に座ってメニューを見ると、そこには誕生日の人だけが注文できる特別なケーキがあった。このケーキは予約しなくてはいけないので、去年、エミと一緒にこのカフェに来た時には食べられなかったケーキだ。ハルカは「そうだった。このケーキは予約をしないと食べられないんだ。きっと美味しいんだろうな。残念・・・」と思ってメニューを眺めていた。

すると、カフェの店員が「お誕生日おめでとうございます！」と言いながら、いちごがたくさんのった可愛らしいケーキを持ってきた。ハルカはびっくりして「あの、私、予約していません！」と言った。店員が「ハルカさんですよね？」と聞くと、ハルカは「はい、ハルカです。でも、私じゃないハルカさんのケーキなんじゃないですか？」と返事をした。

すると、エミの笑い声が聞こえた。エミは「ハルカじゃないハルカさんって誰！？あはは！そのケーキはハルカの誕生日ケーキだよ！」と笑いながらハルカのテーブルに座った。ハルカが「エミ！？どうしてここにいるの？　帰ったんじゃなかったの？」と言うと、エミは「ごめん、ハルカ。私、嘘ついたの」と言った。

店員は、テーブルにケーキとお皿を 2枚、そしてフォークを 2本置いて「楽しんでくださいね」と言って去っていった。「用事があるって嘘ついてごめんね、ハルカ。エイプリルフールだから、許してね」とエミが言うと、ハルカは笑顔で「怒ってないよ。ありがとう。エミと一緒に誕生日をお祝いできて嬉しい！」と言った。そして「もし私が来なかったらどうするつもりだったの？」と聞くと、エミは「ケーキを持ってハルカの家に行くつもりだった！」と言った。それを聞いてハルカが笑い出し、エミも一緒に笑った。

要約／Summary

ハルカとエミは親友で、同じ高校に通っています。四月一日は、新学期最初の日で、ハルカの誕生日です。去年は、駅前のカフェで一緒にお祝いをしました。しかし今日は用事があると言って、エミは家へ帰ってしまいました。一人で歩いていると、去年エミと一緒にお祝いしたカフェが見えました。ハルカは、そのカフェに入りました。席に着くと、カフェの店員が「お誕生日おめでとうございます！」と言って、ケーキを持ってきました。ハルカが驚いていると、エミが出てきて「ハルカの誕生日ケーキだよ！」と言いました。今年も、ハルカはエミと一緒に誕生日をお祝いしました。

Haruka and Emi are best friends and go to the same high school. The 1st of April, which is the first day of the new quarter, is Haruka's birthday. Last year, they celebrated her birthday at a cafe in front of the station. However, today, Emi said she had something to do and went back home. Walking alone, Haruka saw the cafe, where they celebrated her birthday last year. Haruka entered the cafe. When she seated herself, the waiter brought a cake to her table saying "Happy birthday!" While Haruka was surprised, Emi came to her saying "That's your birthday cake, Haruka!" This year they also celebrated Haruka's birthday together.

単語リスト／Vocabulary List

- 新学期 - **shingakki**: new semester/quarter
- 緊張する - **kinchoo suru**: to get nervous
- 親友 - **shinyuu**: best friend(s)
- 席順 - **sekijun**: seating arrangements
- 担任 - **tannin**: homeroom teacher(s)
- 数学 - **suugaku**: math
- 担当する - **tantoo suru**: be in charge of
- 小声 - **kogoe**: soft voice
- ぼんやりする - **bonyari suru**: to space out
- 気さくな - **kisakuna**: open-hearted, friendly
- 下校する - **gekoo suru**: to leave from school and going home
- 帰り道 - **kaerimichi**: on the way back
- 黙る - **damaru**: to get quiet
- 嘘 - **uso**: lie(s)
- 祝う - **iwau**: to celebrate
- ひどい - **hidoi**: horrible
- 準備 - **junbi**: preparation(s)
- 部活 - **bukatsu**: club activity(ties)
- 用事 - **yooji**: errand(s)
- 気をつける - **ki o tsukeru**: to be careful
- つぶやく - **tsubuyaku**: to murmur
- お気に入り - **okiniiri**: one's favorite
- チョコレートケーキ - **chocoreeto keeki**: chocolate cake
- チーズケーキ - **chiizu keeki**: cheese cake
- モンブラン - **monburan**: creamy chestnut cake

- メニュー - **menyuu**: menu
- 注文する - **chuumon suru**: to order
- 予約する - **yoyaku suru**: to make a reservation/pre-order
- 去年 - **kyonen**: last year

- 残念 - **zannen**: too bad
- 眺める - **nagameru**: to look at/to gaze at
- 去る - **saru**: to leave
- 許す - **yurusu**: to forgive

<ruby>問題<rt>もんだい</rt></ruby>／Questions

1. ハルカとエミの<ruby>担任<rt>たんにん</rt></ruby>の<ruby>先生<rt>せんせい</rt></ruby>は・・・

   A. <ruby>英語<rt>えいご</rt></ruby>の<ruby>先生<rt>せんせい</rt></ruby>だ

   B. <ruby>数学<rt>すうがく</rt></ruby>の<ruby>先生<rt>せんせい</rt></ruby>だ

   C. <ruby>歴史<rt>れきし</rt></ruby>の<ruby>先生<rt>せんせい</rt></ruby>だ

   D. <ruby>国語<rt>こくご</rt></ruby>の<ruby>先生<rt>せんせい</rt></ruby>だ

2. ハルカは、<ruby>中学生<rt>ちゅうがくせい</rt></ruby>の<ruby>時<rt>とき</rt></ruby>・・・

   A. <ruby>誕生日<rt>たんじょうび</rt></ruby>に<ruby>友達<rt>ともだち</rt></ruby>と<ruby>一緒<rt>いっしょ</rt></ruby>にケーキを<ruby>食<rt>た</rt></ruby>べた

   B. エイプリルフールの<ruby>日<rt>ひ</rt></ruby>に<ruby>嘘<rt>うそ</rt></ruby>をついた

   C. エミと<ruby>同<rt>おな</rt></ruby>じクラスだった

   D. ハルカの<ruby>誕生日<rt>たんじょうび</rt></ruby>は<ruby>嘘<rt>うそ</rt></ruby>だと<ruby>言<rt>い</rt></ruby>われた

3. ハルカとエミのお<ruby>気<rt>き</rt></ruby>に<ruby>入<rt>い</rt></ruby>りではないケーキは・・・

   A. ショートケーキ

   B. モンブラン

   C. チョコレートケーキ

   D. チーズケーキ

4. ハルカは、エミがケーキを<ruby>予約<rt>よやく</rt></ruby>していたのを<ruby>知<rt>し</rt></ruby>っていた。

   A. はい

   B. いいえ

5. エミは、ハルカがカフェに来なかったら・・・

A. 一人でケーキを食べるつもりだった
B. 一人で家に帰るつもりだった
C. ハルカの家にケーキを持って行くつもりだった
D. ハルカの家に電話をするつもりだった

1. B 数学の先生だ
2. D ハルカの誕生日は嘘だと言われた
3. A ショートケーキ
4. B いいえ
5. C ハルカの家にケーキを持って行くつもりだった

CHAPTER 10
オルゴール - THE MUSIC BOX

昨日、今年最後の大学の授業が終わり、今日から冬休みだ。外は雪が降っていて寒いので、まだ布団の中にいる。時計を見たら、もう午前10時30分だった。「少しお腹も空いたし、そろそろ起きようかな」そう思って、私はストーブをつけて布団から出た。キッチンに行って冷蔵庫を開け、食べるものを探した。卵とハム、ヨーグルトがあった。私は目玉焼きを作り、トーストの上に目玉焼きとハムをのせた。そして、昨日の残り物のコーンスープを温めた。目玉焼きがのったトーストとコーンスープ、ヨーグルトをお盆にのせて部屋に戻り、テレビをつけて、朝ごはんを食べ始めた。

朝ごはんを食べながら、「またあの夢を見たな」と思った。私には、冬になると必ず見る夢がある。春や夏は見ない。冬にだけ見る不思議な夢だ。夢の

中の私は、子どもだ。多分、10歳くらいだと思う。私はオルゴールを持っていて、私と同じくらいの年の男の子もオルゴールを持っている。その男の子が「またここで会おうね」と言って、私は「うん！」と答える。そして、私たちはオルゴールを交換する。夢はいつもここで終わってしまう。どうしてだろう？

実は、私は夢の中に出てくるオルゴールを持っている。テレビの上に置いてある小さなスノードームのオルゴールだ。小さい頃、さっぽろ雪まつりに行った時に、両親に買ってもらった宝物で、ずっと大切にしている。私は久しぶりにオルゴールの曲を聴きながら、夢のことを考えた。

「もしもし？」と言って、母が電話に出た。「あ、お母さん？元気？」と言うと、「あらユイ、どうしたの？」と母は言った。「あのね、オルゴールのことなんだけど・・・」「オルゴール？ああ、さっぽろ雪まつりに行った時に買ったオルゴール？」「うん。今日ね、オルゴールの夢を見たの」と言うと、母は「今年も？なんでかしらね？」と不思議そうに

言った。「ねえ、お母さん、何か知らない？」と聞くと、「夢に出てくる男の子のことでしょう？知らないわ。一緒に行った男の子はいないもの」と言った。私は一人っ子で、さっぽろ雪まつりには、父と母と私の三人で行ったのだ。「ユイが**迷子になった**時に、その男の子に会ったのかしら？」と母が言った。私は「私、迷子になったの？」と聞くと「そうよ。**突然いなくなっちゃった**から、とても心配したわ」と母は返事をした。「そうなんだ。ありがとう」と言って、**電話を切った**。「迷子になった時に会った男の子か・・・誰だろう？」

年が明けて、1月の終わりになった。私は**カレンダー**を見ながら、考えていた。「さっぽろ雪まつりに行こうかな。そしたら、あの夢の男の子に会えるかな？そうだ、オルゴールを持って行こう！夢の中で私たちはオルゴールを交換しているんだから。」そう思い、私は久しぶりにさっぽろ雪まつりに行くことにした。

二月七日、私は一人でさっぽろ雪まつりに来た。周りには、友達と来た人、家族で来た人、恋人と来た

人がいる。一人で来たのは私だけだったけど、あの小さなオルゴールも持ってきた。私はオルゴールを持って、会場を歩き回った。「すごいなあ。このお城、雪でできてるんだよね。あの大きなトトロも雪でできてるんだ・・・」歩き回っていると、いつも夢の中で見る場所に来た。「ここ、いつも夢で見る場所だ」そう思って周りを見ると、一人で立っている同じ年くらいの男の子がいた。よく見ると、その男の子もオルゴールを持っていた。私のオルゴールと同じ、スノードームのオルゴールだ。思わず「あの、そのオルゴール・・・」と声をかけると、その男の子は私を見て「もしかして、ユイちゃん？」と言った。私は「どうして私の名前を知ってるの？」と聞いた。「また会おうねって約束したでしょう？」と言って、その男の子は笑った。

私たちはカフェに入った。席に着くと、その男の子は話し始めた。「ぼくの名前はケント。小さい時に、さっぽろ雪まつりで会ったよね。覚えてる？」そう言って、ケントくんは私の顔を見た。私は少し考えてから「ごめんなさい。よく覚えてないんで

す」と答えた。ケントくんは「覚えていないのに、オルゴールを持って雪まつりに来たの？」と不思議そうに言った。「覚えてないけど、夢を見るんです。雪まつりで男の子とオルゴールを交換する夢。だから、雪まつりに来たの」と私が言うと、「そうなんだ！その男の子はぼくだね」と言って小さい頃の写真を見せてくれた。「そう、この男の子だ！」ケントくんを見ると「あの時、ユイちゃんは迷子で泣いていたんだ。それで一緒にお母さんとお父さんを探してあげたんだよ。そして、もう一度会えるように、オルゴールを交換したんだ」と言って笑った。「そうだったんだ・・・」私は、「でも、どうして私の名前を知ってるの？」と聞くと、「ユイちゃんのお父さんとお母さんがユイちゃんの名前を呼ぶのが聞こえたんだ」と教えてくれた。「ぼくね・・・ユイちゃんと雪まつりで会った年に東京に引っ越しちゃったんだ。でも、今年やっと北海道に戻ってきたんだ。それで、もしかしたらユイちゃんに会えるかも！と思って、雪まつりに来たんだ」そして私の顔を見ながら続けた。「ユイちゃんのこと、もっと

知りたいから・・・友達になってくれませんか？」

私は「はい！」と答えた。

要約／Summary

冬になると彼女が必ず見る夢がある。夢の中で、彼女は男の子と一緒にいて、二人は同じオルゴールを持っている。そして、オルゴールを交換するのだ。いつも見る夢だけれど、この男の子が誰かわからない。2月になって、ユイはオルゴールを持って久しぶりにさっぽろ雪まつりに行ってみた。会場を歩いていると、ユイと同じオルゴールを持っている男の子を見つけた。ユイが声をかけると、その男の子は「もしかして、ユイちゃん？」と言った。二人はカフェに行き、話をした。子どもの頃さっぽろ雪まつりに行った時、ユイは迷子になってしまった。その男の子がユイと一緒にお父さんとお母さんを探してくれた。そしてまた会えるようにオルゴールを交換したのだと教えてもらった。ユイは夢の秘密がわかって嬉しかった。そして、二人は友達になった。

Every winter, she always has the same dream. In the dream, she is with a boy and both of them have the same music boxes. Then, they exchange the music boxes. She always has this dream, but she doesn't know who this boy is. In February, Yui went to the Sapporo Snow Festival with the music box for the first time in a

121

while. While walking around the venue, she found a boy who had the same music box as Yui's. She said hi to him, and he said "Are you Yui?" They went to a cafe and had a talk. When she was a child, Yui came to the festival and got lost. The boy looked for Yui's parents with her. Then, he said, they exchanged their music boxes so that they could see each other again. Yui is now happy to know the secret of the dream. And they became friends.

単語リスト／Vocabulary List

- 冬休み - **huyuyasumi**: winter break(s)
- 布団 - **huton**: futon, the Japanese-style bedding
- ストーブ - **sutoobu**: heater(s)
- 残り物 - **nokorimono**: leftover(s)
- コーンスープ - **koon suupu**: corn soup
- 温める - **atatameru**: to warm up
- お盆 - **obon**: tray(s)
- オルゴール - **orugooru**: music box(es)
- 交換する - **kookan suru**: to exchange
- スノードーム - **sunoo doomu**: snow globe(s)
- さっぽろ雪まつり - **sapporo yuki matsuri**: the Sapporo Snow Festival
- 宝物 - **takaramono**: treasure(s)
- 曲 - **kyoku**: piece of music, song(s)
- 電話に出る - **denwa ni deru**: to take a call
- 迷子になる - **maigo ni naru**: to get lost
- いなくなる - **inakunaru**: to disappear
- 電話を切る - **denwa o kiru**: to hang up the phone
- 年が明ける - **toshi ga akeru**: a new year begins
- カレンダー - **karendaa**: calender(s)
- 会場 - **kaijoo**: venue(s)
- 歩き回る - **arukimawaru**: to walk around
- 城 - **shiro**: castle(s)
- トトロ - **totoro**: Totoro, a character from the animated film "My Neighbor Totoro"
- 周りを見る - **mawari o miru**: to look around

- 思わず - **omowazu**: in a spontaneous way
- 声をかける - **koe o kakeru**: to greet, to talk to
- 約束する - **yakusoku suru**: to promise
- 写真 - **shashin**: picture(s)
- 探す - **sagasu**: to look for
- 引っ越す - **hikkosu**: to move
- 戻ってくる - **modottekuru**: to return

<ruby>問題<rt>もんだい</rt></ruby>／Questions

1. ユイには、<ruby>冬<rt>ふゆ</rt></ruby>にだけ<ruby>見<rt>み</rt></ruby>る<ruby>夢<rt>ゆめ</rt></ruby>がある。

   A. はい
   B. いいえ

2. ユイの<ruby>お母<rt>かあ</rt></ruby>さんは・・・

   A. ユイと<ruby>同<rt>おな</rt></ruby>じ<ruby>夢<rt>ゆめ</rt></ruby>を<ruby>見<rt>み</rt></ruby>る
   B. <ruby>夢<rt>ゆめ</rt></ruby>の<ruby>中<rt>なか</rt></ruby>の<ruby>男<rt>おとこ</rt></ruby>の<ruby>子<rt>こ</rt></ruby>を<ruby>知<rt>し</rt></ruby>らない
   C. ユイと<ruby>同<rt>おな</rt></ruby>じオルゴールを<ruby>持<rt>も</rt></ruby>っている
   D. <ruby>毎年<rt>まいとし</rt></ruby>さっぽろ<ruby>雪<rt>ゆき</rt></ruby>まつりに<ruby>行<rt>い</rt></ruby>っている

3. ユイのオルゴールは・・・

   A. カレンダーが<ruby>付<rt>つ</rt></ruby>いている
   B. スノードームのオルゴールだ
   C. 2つある
   D. <ruby>お父<rt>とう</rt></ruby>さんに<ruby>買<rt>か</rt></ruby>ってもらった

4. さっぽろ<ruby>雪<rt>ゆき</rt></ruby>まつりの<ruby>会場<rt>かいじょう</rt></ruby>で、ユイは<ruby>男<rt>おとこ</rt></ruby>の<ruby>子<rt>こ</rt></ruby>に<ruby>声<rt>こえ</rt></ruby>をかけられた。

   A. はい
   B. いいえ

5. さっぽろ<ruby>雪<rt>ゆき</rt></ruby>まつりで<ruby>会<rt>あ</rt></ruby>った<ruby>男<rt>おとこ</rt></ruby>の<ruby>子<rt>こ</rt></ruby>は・・・

   A. ユイに<ruby>会<rt>あ</rt></ruby>うために<ruby>札幌<rt>さっぽろ</rt></ruby>に<ruby>帰<rt>かえ</rt></ruby>ってきた
   B. ユイを<ruby>待<rt>ま</rt></ruby>っていた

125

C. ユイのことをもっと知りたいと思っている

D. 東京に引っ越す予定だ

答え／Answers

1. A はい
2. B 夢の中の男の子を知らない
3. B スノードームのオルゴールだ
4. B いいえ
5. C ユイのことをもっと知りたいと思っている

CONCLUSION

We hope you've enjoyed our stories and the way we've presented them. Each chapter, as you will have noticed, was a way to practice a language tool that you will regularly use when speaking Japanese.

Never forget: learning a language doesn't have to be a boring activity if you find the proper way to do it. Hopefully, we've provided you with a hands-on, fun way to expand your knowledge in Japanese, and you can apply your lessons to future ventures.

Feel free to use this book further ahead when you need to go back to remembering vocabulary and expressions — in fact, we encourage it.

Believe in yourself and never be ashamed to make mistakes. Even the best can fall; it's those who get up that can achieve greatness! Take care!

P.S: Keep an eye out for more books like this one; we're not done teaching you Japanese! Head over to **www.LingoMastery.com** and read our articles and sign up for our newsletter. We give away so much free stuff that will accelerate your Japanese learning, and you don't want to miss that!

MORE BOOKS BY LINGO MASTERY

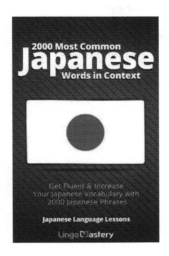

Have you been trying to learn Japanese and simply can't find the simple way to discover new words?

Are you tired of having to pore through boring textbooks and complicated material that you don't really understand?

Are you looking for a way to learn the language more effectively without taking shortcuts?

If you answered *"Yes!"* to at least one of those previous questions, then this book is for you! We've compiled the **2000 Most Common Words in Japanese,** a list of terms that will expand your vocabulary to levels previously unseen.

Did you know that — according to an important study — learning the top two thousand (2000) most frequently used words will enable you to understand up to **84%** of all non-fiction and **86.1%** of fiction literature and **92.7%** of oral speech? Those are *amazing* stats, and this book will take you even further than those numbers!

In this book:

- A detailed introduction with tips and tricks on how to improve your learning – here, you will learn the basics to get you started on this marvelous list of Japanese terms!
- A list of **2000** of the most common words in Japanese and their translations
- An example sentence for each word – in both Japanese and English
- Finally, a conclusion to make sure you've learned and supply you with a final list of tips

Don't look any further, we've got what you need right here!

In fact, we're ready to turn you into a Japanese speaker... are you ready to become one?

Get it here

Do you know what the hardest thing for a Japanese learner is?

Finding PROPER reading material that they can handle...which is precisely the reason we've written this book!

You may have found the best teacher in town or the most incredible learning app around, but if you don't put all of that knowledge to practice, you'll soon forget everything you've obtained. This is why being engaged with interesting reading material can be so essential for somebody wishing to learn a new language.

Therefore, in this book we have compiled 20 easy-to-read, compelling and fun stories that will allow you to expand your vocabulary and give you the tools to improve your grasp of the wonderful Japanese language.

How **Japanese Short Stories for Beginners** works:

- Each chapter possesses a funny, interesting and/or thought-provoking story based on real-life situations, allowing you to learn a bit more about the Japanese culture.

131

- Having trouble understanding Japanese characters? No problem – we provide you with the English translation below each paragraph, allowing you to fully grasp what you're reading!
- The summaries follow a synopsis in Japanese and in English of what you just read, both to review the lesson and for you to see if you understood what the tale was about. Use them if you're having trouble.
- At the end of those summaries, you will be provided with a list of the most relevant vocabulary from that chapter, as well as slang and sayings that you may not have understood at first glance! Do not get lost trying to understand or pronounce it all, either, as all of the vocabulary words are Romanized for your ease of learning!
- Finally, you'll be provided with a set of tricky questions in Japanese, allowing you the chance to prove that you learned something in the story. Whether it's true or false, or if you're doing the single answer questions, don't worry if you don't know the answer to any — we will provide them immediately after, but no cheating!

We want you to feel comfortable while learning Japanese; after all, no language should be a barrier for you to travel around the world and expand your social circles!

So look no further! Pick up your copy of **Japanese Short Stories for Beginners** and level up your Japanese language skills *right now*!

GET IT HERE

Having trouble following dialogues on your favorite Japanese anime, series and movies?

Do you want to have conversations with Japanese speakers like a native?

If your answer to any of the previous questions was 'Yes', then this book is for you!

One of the most crucial skills you will gain as a language learner is the ability to speak like a native. Using the right words, tone, and formality is key to mastering the language, and Japanese is no different!

Because of this, we have compiled **OVER ONE HUNDRED** conversational Japanese stories for Beginners along with their translations, allowing new Japanese speakers to obtain the necessary tools to know how to set a meeting, rent a car or tell a doctor that they don't feel well. If speaking the language natively is your goal, this book is for you!

How Conversational Japanese Dialogues works:

- Each new chapter will have a fresh, new story between two people who wish to solve a common, day-to-day issue that you will surely encounter in real life.
- A Japanese version of the conversation will take place first. Here, we will challenge your skills by allowing you to read the dialogue in its original tongue – including the super-efficient Romaji romanization system – you will learn how to read *and* pronounce each word like a native!
- Accurate English translations follow each Japanese conversation, providing you with the opportunity to understand everything that has been said.
- A helpful introduction and conclusion that will offer you important strategies, tips and tricks to allow you to get the most out of this learning material.

We want you to feel comfortable while learning the tongue; after all, no language should be a barrier for you to travel around the world and expand your online and offline social circles!

So, look no further! Pick up your copy of **Conversational Japanese Dialogues** and start learning Japanese *right now*!

GET IT HERE

Made in the USA
Columbia, SC
18 April 2024

34555486R00078